P9-BZO-172

CORÍN TELLADO

Consuélate conmigo

1

—Estoy muy contenta, Cary. Muy contenta. ¿Has oído a la abuela? ¿No? Fue una lástima. Estuvo hablando de Pat. ¿No sabes quién es Pat? Claro, no puedes saberlo. Cuando nos casamos tú y yo, ella estaba haciendo un viaje de estudios por Oriente Medio. Pat se pasa la vida trabajando. Es decir, estudiando. ¿No te dije que es artista? ¿No? Qué lástima. Lo sabe todo el mundo en Atlanta. Es decir, ¿qué digo en Atlanta? En todo el estado de Georgia.

Cary Crawford miraba a su mujer, pero nadie diría que la veía.

Claro que a Vicky eso le tenía muy sin cuidado.

Ella tenía que hablar. Nada le gustaba más en la vida que dar a la lengua.

Cary, su marido, lo sabía muy bien.

También lo sabía Ed Blay, el cual, a pocos pasos de la terraza, escuchaba sin proponérselo.

¿Pat?

Claro.

¿Quién no conocía a Pat?

¿Qué años tenía Pat cuando su padre dejó la finca de los Anderson? Unos catorce, sí. No más.

Era una chiquilla espigada, altanera y orgullosa.

Bueno, de aquello hacía bastante tiempo. Nueve años por lo menos. ¿Cuántos tenía él entonces? Aún vivía el viejo Anderson. Y su padre. Él tenía veinticinco y su título de abogado.

Sacudió la cabeza.

Vicky Anderson seguía hablando atropelladamente. Ed movió de nuevo la cabeza. ¿No estaría mareado Cary Crawford de oír a su mujer?

—¿Nunca te hablé de Patricia Moore?

Ed observó que Cary giraba la cabeza en redondo, con cierta precipitación.

—¿Patricia qué? —preguntó.

Y Ed hubiese jurado que la voz del marido de Vicky tenía una vibración extraña.

¿Qué pasaba allí?

¿Por qué se mantuvo indiferente a todo cuanto dijo su mujer hasta que nombró aquel apellido?

¿Moore?

¿Y qué decía aquel apellido a Cary Crawford?

—Patricia Moore —repitió la despistada Vicky tranquilamente—. Pat, mi prima Pat. Claro que tú no la conociste. Es hija de una hija de la abuela. Es decir, hija de una hermana de mi difunto padre.

Ed fumó aprisa su enorme pipa retorcida.

Él no era amigo de escuchar, pero..., a veces, y en aquella finca tan grande, uno se topaba con las personas de la casa sin querer, y tenía que oírlas, a menos que se reuniera a los que hablaban.

—Tío Gerald era un artista. Un gran escultor. Se casó con tía Pat y se la llevó de aquí. Sólo los vi por Atlanta dos o tres veces. Cuando falleció mamá, cuando papá tuvo aquel terrible accidente con un caballo, cuando murió el abuelo... Cuando se leyó el testamento. ¿Sabes lo que el abuelo pedía al marido de su única hija? Que se hiciera cargo de la hacienda. Que cultivase algodón —se echó a reír, mientras su marido continuaba con el rostro crispado—. Un escultor famoso cultivando algodón. ¿Has oído alguna vez cosa más grotesca? —bajó la voz, pero Ed, apoyado en la empalizada, pudo oírla perfectamente—. El abuelo añadía en su testamento que si Gerald Moore no accedía, entonces habría que darle una participación en el negocio a Ed Blay. ¿No lo sabías?

Ed podía ver, desde donde se hallaba, el rostro crispado de Cary.

Estaba seguro de que su pensamiento se hallaba bien lejos de allí. ¿En Patricia Moore? ¿Por qué? ¿De qué la conocía?

La cotorra que era Vicky añadió, sin esperar respuesta de su marido:

—Todos los Blay administraron la hacienda de los Anderson. Pertenecen a la familia Anderson, ¿sabes? Un lejano, pero auténtico parentesco. El viejo Ed no quería esa participación. Pero su hijo Ed aceptó. Se hizo cargo de todo. Por eso vive aquí. ¿Sabes? Desde que él se ocupa de la marcha de esta hacienda, todo ha subido como la espuma. Por eso todos le estimamos tanto.

Ed sonrió.

Era un hombre moreno, alto y fuerte. Quizá no fuese muy elegante, pero tenía lo que se suele llamar interés para las chicas. Treinta y cuatro años, ojos pardos, expresión más bien enigmática, una sonrisa que más bien parecía una mueca...

Esperó un buen rato a que Vicky siguiera hablando, pero cuando oyó el murmullo de su voz, ya estaba demasiado lejos para captar cuanto decía.

Se alzó de hombros y se dirigió al otro extremo de la empalizada, donde tenía un equipo de hombres trabajando.

Alguna vez, no siempre, Ed Blay comía a la mesa con los Anderson. Joan Anderson lo invitaba siempre, pero Ed tenía su pabellón al otro extremo de la finca. Tenía su propio criado y gustaba de la soledad.

Sólo en contadas ocasiones aceptaba la invitación de la anciana Joan Anderson, a quien, dicho sea de paso, estimaba de veras y sabíase de igual modo estimado.

A falta de hombres en la familia, Joan Anderson siempre acarició la idea de que Vicky, su nieta, matrimoniara con Ed Blay. Vicky era hija de su único hijo. Pero sus planes se desbarataron debido a la indiferencia de Blay por su nieta, y, a la vez, del interés de Vicky por aquel muchacho llamado Cary Crawford, un joven sin un centavo que Vicky conoció un día, hacía de ello casi diez años. Es decir, cuando Vicky tenía diecisiete, conoció a Cary. Vicky le dijo a su abuela que estaba profundamente enamorada. Un buen día, Cary pasó a visitarla al palacio y la abuela estimó que si bien era un mozo muy arrogante, no parecía muy enérgico.

Las relaciones se formalizaron y Cary se fue a París, donde terminó sus estudios de ingeniero agrónomo, considerando que era la profesión mejor para ser útil a los Anderson.

No lo fue mucho, pero la abuela jamás lo comentó con nadie.

Aquel día todos se sentaron a la mesa, cuando sonó el gong en el amplio palacio de los Anderson.

También estaba Ed Blay. Al verlo, la abuela se colgó de su fuerte brazo, comentando:

—No sabes cuánto celebro verte, Ed. Tengo que hablaros a todos.

—¿De Patricia, abuela? —preguntó Vicky feliz.

—De ella. ¿Cómo lo sabes?

Una doncella servía la mesa.

Cary tenía expresión cerrada; Vicky, feliz. Ed, expectante. Joan Anderson, muy placentera.

—Pat ha ganado la medalla de otoño con su cuadro *Primavera*. ¿No lo habéis leído en los periódicos?

—No leemos periódicos —dijo Vicky—. ¿Verdad, Cary?

Cary levantó la cabeza.

Ed se dijo que debía de estar muy lejos de allí.

—¿Eh?

—Te comentaba que no leemos los periódicos, ¿verdad?

—Ah, no, no. Casi nunca.

—La abuela asegura que Pat ganó la medalla de otoño de París.

—¿Sí?

Sólo Ed observó su cerrado semblante, sus labios apretados, su media sonrisa cortés, que parecía una mueca amarga.

La abuela no se fijó en nada.

Siguió diciendo:

—La ganó, y cuando le escribí felicitándole, la invité a pasar este verano en el palacio de sus antepasados. No pensé que aceptase. Es una muchacha muy ocupada. ¿No has oído hablar nunca de ella, Cary?

—¿Cómo?

—Te pregunto si no has oído hablar en esta casa de la existencia de Pat.

—No —se agitó—. No, nunca...

—Estuvimos algo distanciados desde la muerte de mi esposo —sonrió con indulgencia—. Yo pretendía una estupidez. Lo reconozco ahora, aunque en aquella época me sentó muy mal la negativa de Gerald. Mi yerno era un hombre famoso por sus esculturas. Se casó con mi hija Pat hace muchos años y se la llevó de aquí. Sólo de tarde en tarde venían a hacernos una visita. Era un hombre rico y famoso. No necesitaba nuestra ayuda. Pat fue muy feliz, pero falleció pronto. Cuando murió mi marido, dejó dicho en su testamento que le agradaría en extremo que Gerald se hiciera cargo de la hacienda. Peter ya había fallecido, era mi hijo, el padre de Vicky. La esposa de éste también falleció a poco de su marido. Total, que yo me quedaba sola con una nieta. Pero Gerald, muy amablemente, me dijo que él no era un hacendado y que nuestra hacienda, dedicada al algodón, se convertiría en un fracaso si él la administraba —por encima de la mesa levantó la mano y la dejó caer sobre los morenos dedos de Ed—. Tenía mucha razón Gerald, pero en aquel entonces nadie nos dimos cuenta. Sólo pensamos en que Gerald se negaba a ayudarnos. Luego todo se arregló, pero ello sirvió para distanciarnos más. Gerald se llevó a su hija a Nueva York y allí vivieron. Viajaron y educó a Pat en un mundo muy distinto al nuestro.

Hizo una pausa que nadie interrumpió.

Ella bebió un sorbo de agua y añadió al rato, tras lanzar un suspiro:

—Ni siquiera me participaron la muerte prematura de Gerald. Tuve que enterarme por los periódicos. En fin, yo subí por primera vez en mi vida en avión y fui al lado de mi nieta. Pat lloraba, pero en el fondo estaba muy resignada. Le ofrecí mi casa, me lo agradeció mucho, pero dijo que no, que pensaba viajar. Que tenía mucho que hacer todavía.

Calló de nuevo.

En su acento se notaba una gran emoción.

—Empezó a transcurrir el tiempo. Ed se hizo cargo de todo y todo marchó muy bien. Siempre estuve al tanto de la vida de mi nieta. Es decir, todo lo que puede estar una abuela lejos de su nieta. Me entero por los periódicos, de la medalla recién ganada y de cómo vende sus cuadros. Los vende muy bien, muy caros. Es una chica casi famosa, pese a sus veintitrés años. En la carta la invitaba a pasar con nosotros una temporada, y he tenido respuesta ayer. Ayer noche concretamente. En dicha respuesta me promete venir. Estaba en Oriente Medio cuando le fue remitida mi carta. Parece ser que allí vive feliz.

—Ya estaba allí cuando yo me casé. ¿Te acuerdas, abuela? —saltó Vicky feliz—. La invitamos. Nos envió un regalo espléndido, pero se excusó.

—Sin duda no podía venir —dijo la abuela muy convencida.

Ed guardó silencio.

Ed lo observaba todo, pero casi nunca daba su parecer, ni aunque se lo pidiesen, pues en tales casos buscaba una elegante excusa, con el fin de evitar su personal opinión.

—Llegará aquí —dijo la elegante dama— a finales de semana. Es posible que antes. De todos modos, desde hoy le tendremos dispuesta una habitación —se volvió a medias—. Susan —dijo a la doncella que servía la mesa—. No te olvides de advertir a María de la llegada de la señorita Patricia.

—Lo sabe ya, señora.

—Mejor. Que disponga la alcoba que siempre ocuparon sus padres.

—Sí, señora.

La comida había terminado.

Todos se levantaron para pasar al saloncito contiguo, donde habitualmente tomaban el café de sobremesa.

mañana desde hoy le tendremos dispuesta su habitación —se volvió a todos—. Susana —dijo a la doncella que recogía la mesa—. No te olvides de advertir a María de la llegada de la señorita Patricia.

—Ya lo sabe ya, señora.

—Mejor. Que disponga la alcoba que siempre ocuparon sus padres.

—Sí, señora.

La comida había terminado.

Todos se levantaron para pasar al saloncito contiguo, donde habitualmente tomaban el café de sobremesa.

2

A él le importaba un pito todo aquello.

Era una vieja historia familiar que nadie, conociendo a los Anderson, y en Atlanta los conocía todo el mundo, tenía razón Vicky, la desconocía.

Se hallaba tendido en el lecho.

Tenía el ventanal abierto y por él entraba la brisa de una apacible madrugada.

No tenía sueño.

La culpa la tuvo aquel viaje nocturno a Atlanta. Siempre le ocurría igual, y, sin embargo, salía casi todos los días.

¿Qué culpa tenía él de ser un tipo insaciable de nuevas emociones?

Estaba solo. Tenía dinero, era libre y no tenía ningún deseo de casarse.

Puso una mano bajo la nuca.

¿Qué pasaba con Cary Crawford?

Ji.

Sin duda conocía a Pat.

Y lo curioso era que él suponía que no la relacionó con la familia Anderson hasta que la cotorra de su mujer la nombró en su presencia.

Pero...

¿De qué la conocía?

¿Cuándo?

¿Qué relación hubo entre ellos?

Era un pobre hombre. Al menos él, Ed Blay, así lo consideraba.

Él era sólo un abogado y llevaba la administración de aquella inmensa hacienda como si fuese la contabilidad de una casa insignificante. Cary era ingeniero agrónomo y apenas si sabía nada de cultivos y recolecciones y demás asuntos de una hacienda.

Pero sabía hacer feliz a Vicky.

¿No era suficiente?

Sonrió.

Pensó en la idea de Joan Anderson de casarlo a él con Vicky.

Tendría que estar loco.

Era la muchacha más estúpida, vacía y absurda de cuantas conoció. Estaba bien para Cary, que no disponía de un centavo propio, pero él tenía su fortuna personal y maldita la gracia que le hacía venderse.

Si pudiera dormir.

Claro que la culpa de su insomnio la tenía aquel grupo de muchachas que vio en el centro. Tres. Era una barbaridad.

—A este paso —refunfuñó—, cuando tengas

cuarenta años, Ed Blay, no habrá por dónde pillarte. Estarás hecho una carroña.

Tendría que ser más comedido.

Nada de salidas nocturnas, nada de mujeres.

¿Pero quién a los treinta y cuatro años cumple ese propósito?

Cary.

Claro. Cary, sí. Cary tenía que aguantar a Vicky. Y Vicky era la persona más estúpida de cuantas él conoció.

¿Cómo sería Pat?

La recordó a su pesar. Tenía entonces catorce años. Fue cuando la vio, la única vez en su vida.

Tenía continente orgulloso. Era altiva, sí. Miraba como si uno fuese un gusanito.

Dio la vuelta en el lecho.

¿Cómo era físicamente?

Tendría que pensar un poco. El cabello más bien castaño, los ojos melados..., una boca de labios largos... Tenía pocos años entonces. Podía haber cambiado mucho. Pero no. Ya estaba formada. Ya casi era una mujer.

Una vez le pidió que ensillase su caballo y él lo hizo sin rechistar, aunque ninguna obligación tenía.

—¿Quieres que te acompañe? —le preguntó.

—Claro que no —dijo ella indiferente.

Le gustó su soberbia. Su empaque. Su mundología, pese a su corta edad.

Sin duda alguna, Gerald la educó bien.

La educó para vivir, y vivía. Sin duda vivía como quería.

Tenía un sueño. Ahora sí, lo tenía.

¿Qué le importaban a él aquellas historias familiares? Cary con un pasado, fuera cual fuese éste, relacionado con Pat. Vicky charlando por los codos. Joan Anderson convertida en una ancianita cariñosa...

Era lo que más valía en aquella casa.

—No sabes lo contenta que estoy. ¡Tanto, tanto! Hace muchos años que no veo a Pat. La última vez que la vi... resultaba algo indiferente. Pero habrá cambiado. A los catorce años todas las chicas somos un poco tontas —se despojaba del vestido y lo tiraba sobre una silla—. Aún no has dicho nada, Cary.

Cary estaba ya en la cama.

¡Si Vicky se callara, al fin, por una sola vez en su vida!

Pero Vicky, medio desnuda, iba hacia el baño, llevándose en el brazo el camisón.

—¿Cómo te la imaginas, Cary? ¿Quieres que te diga yo cómo es?

Los grifos del baño apagaron un tanto su voz.

Cary se mordió los labios.

—Tiene el pelo castaño, Cary, y los ojos como caramelos de miel. Un poco claros, ¿sabes? Resultan algo desconcertantes en su rostro más bien moreno.

Apareció en la puerta del baño, frotándose las manos.

—Pintora. No sabes cuánto daría yo por ser pintora.

—¿Quieres callarte de una maldita vez?

Vicky se volvió desconcertada.

—¿Qué te pasa?

—Nada —se calmó Cary—. Nada. Pero estás hablando de tu prima desde que amaneció.

—Es que viene.

—¿Y si viene, qué?

—¿Cómo qué, Cary? Es un acontecimiento familiar. Has de saber que todos hemos querido mucho a la tía Pat y al tío Gerald.

Cary respiró.

Tenía que respirar para no ahogarse.

No ya por el atropellado hablar de su mujer, sino por todos los recuerdos que se le venían encima.

Pat...

¿Por qué no la asoció a los Anderson?

¿Por qué?

—La abuela, secretamente, siempre deseó tener aquí a Pat —seguía Vicky, como siempre bien ajena a los pensamientos de su marido—. Fue un anhelo que nunca pudo cumplirse. Ahora sí. Ahora Pat vendrá y podremos quererla todos.

Se deslizó en la cama.

Cary tuvo ganas de echar a correr.

Era Pat el motivo de su conversación, pero si no fuera Pat sería la pata de un potro rota, o la cosecha de algodón, o la falta de hijos, o lo que fuese.

Vicky siempre tenía que estar hablando.

Y lo peor de todo es que nunca pensaba lo que decía.

Saltaba de un tema a otro como una cotorra que no sabe hilvanar nada.

—No sé cómo se le ocurrió a mi abuelo antes de morir pensar que Gerald se iba a ocupar de la administración de su hacienda. Como si un escultor... ¿No estás temblando, Cary?

—¿Yo?

—Eso me parece. ¿Tienes frío? ¿Cierro la ventana? Pero no, ¿por qué cerrarla si da gusto sentir el aire de la noche en el rostro? Como te iba diciendo...

—Apaga la luz, Vicky, y duérmete.

—¿Tan pronto? ¿No podemos hablar?

Cary se mordió los labios.

—No me interesa la llegada de tu prima —dijo todo lo sereno que pudo—. Ya llegará, y cuando eso ocurra...

—¿Es que no te interesan las cosas de la familia?

—Vicky..., tengo sueño.

—Yo también, pero me gusta hablar de Pat.

—Pues habla.

Y dio la vuelta en el lecho, quedando de espaldas a su mujer.

Vicky alzó una ceja perpleja.

Cary era siempre tan amable.

Desde que lo conoció, hacía de ello muchos años, siempre fue amable con ella. Y cumplió su palabra.

Ella, en el fondo, siempre pensó que Cary no volvería a Atlanta a casarse con ella, pero volvió. No traía muy buena cara cuando lo vio de nuevo por primera vez. Pero se casaron. ¡Y qué boda!

Todo el mundo en Atlanta, y mira que era grande Atlanta, y tenía habitantes, pues todo el mundo estuvo pendiente de su boda aquellos días.

¿Y el viaje de novios?

¡Qué maravilla!

Claro que Cary siempre parecía estar un poco en las nubes. Luego cambió. Sí, a medida que pasaba el tiempo, cambió.

—Voy a dormir —dijo resignada—. Mañana será otro día y seguiremos hablando...

3

—Patricia, querida, querida —susurraba Joan Anderson abrazando a su nieta.

Pat sonreía.

Ella no era muy impresionable.

Pero... en el fondo sentía aquella vez una profunda emoción.

—Abuela..., tenía ganas de verte.

—¿Cómo has llegado así?

—¿Así?

—Tan de improviso.

—Cuando te escribí la carta me encontraba en Nueva York. Salí de allí aquella misma mañana. Hice el viaje en auto. Un precioso viaje para quien, como yo, lo hace con la paleta y los pinceles.

—Oh, muchachita. Deja que te mire. Déjame ver. Tus primos no están, ¿sabes? Han ido a Talladega. Es posible que no vengan hasta la noche. Siéntate junto a mí. ¿Tienes calor?

Pat miraba en torno con curiosidad.

Hacía nueve años que no pisaba aquella casa.

Pero la verdad es que siempre la recordaba con cariño.

¡La casa de sus mayores!

¿Por qué no?

Ella no tenía prejuicios ni bobadas. Ni soñaba con grandezas y cosas pasadas de moda. Pero era grato, pese a todo, recordar que en un rincón de las afueras de Atlanta había un viejo palacio donde vivió y se casó su madre.

—Siéntate junto a mí. Así... ¿Qué me cuentas? Te felicito de nuevo, hijita. No debe de ser nada fácil ganar la medalla de otoño en París.

Pat rió.

Una risa feliz.

Tenía el cabello como lo imaginaba Ed, de color castaño, más bien claro, los ojos desconcertantemente castaños y la boca de labios largos, estuche de unos dientes blanquísimos y perfectos.

Esbelta, bien vestida, con aire de mujer moderna, sin llegar a lo «ye-ye».

Con aquel aire tan desenvuelto, aquella personalidad suya que se notaba hasta en la forma de mover las manos.

—Estoy contenta de verte, abuela —dijo cariñosamente—. Después de tanto tiempo.

—¿Nunca te olvidaste de que aquí tienes una abuela?

—Jamás. ¡Qué cosas dices! Nunca, te lo aseguro. Papá siempre me enseñó a quererte hasta que falleció.

Joan Anderson la atrajo hacia sí y la besó en la frente.

—¡Cuánto siento que no estén todos! Vicky y su marido... ¿Por qué no has venido a la boda? Te avisamos con bastante antelación.

Pat sonrió de nuevo.

—Estaba muy lejos. Me gustaba estar allí. Precisamente mi cuadro *Primavera*, el que ganó el premio, lo tenía en mis manos cuando se casó Vicky.

—¿Tanto tiempo?

—Hace de ello un año abundante, ¿no? ¿No hay niños ya?

—Eso es lo que más duele. No los hay.

—¿Qué tal el marido de Vicky? Tú siempre fuiste especial para elegir maridos para tus hijas y lo serás para tus nietas.

—Antes, una podía meterse en esas intimidades —apuntó Joan Anderson con tristeza—. Pero ahora..., no es rico, ¿sabes? Es ingeniero agrónomo.

Claro.

Ella lo sabía.

Pero siguió escuchando atentamente lo que decía su abuela.

—Pero es un buen chico. Un excelente muchacho que nunca se mete en nada. Si he de decirte verdad, siempre parece estar en las nubes.

—¿No hay nada que tomar por aquí, abuela? Tengo una sed abrasante.

—Ahí, en el bar. ¿Bebes mucho, Pat?

—No. Te aseguro que me dosifico bien.

Se acercó al bar y sacó un vaso y una botella de whisky.

—¿No hay hielo?

—Ahí mismo lo tienes. ¿Qué vas a beber?

—Whisky.

—Jesús, hija. ¿Cómo así?

Pat volvió a reír. Se sirvió, preparó el whisky y con el vaso en la mano volvió a sentarse junto a la dama.

—Me gusta beber de vez en cuando. No pasa nada, abuela. No te asustes. No soy una borracha. No te olvides que hace mucho ya que ando sola por el mundo y tengo que caminar firmemente —y sin transición—: ¿Dónde has dicho que iban los esposos Crawford?

—A Talladega. Vendrán temprano. Es por un asunto de la venta del algodón. Cary se ocupa de eso, pues todo lo demás de la hacienda lo lleva Ed Blay.

—¿Blay? Me suena.

—Es el hijo de aquel hombre en quien siempre tuvo mucha confianza tu abuelo. Su hijo es abogado y tiene una parte en el negocio del algodón. Gracias a eso, la hacienda vuelve a ser lo que era. ¿Sabes? Te diré un secreto que nunca me atreví a decir a nadie en alta voz. Siempre acaricié la idea de que Vicky se casara con Ed.

Pat soltó la carcajada.

¿Sincera?

Lo parecía.

Pero en el fondo quedaba algo así como un resquemor.

—Pero los padres proponen y los hijos disponen, hijita.

—¿Cuándo... se prometió con Cary Crawford?

—Oh, hace mucho tiempo, por lo menos diez años. Me resigné —añadió la dama—. Qué remedio me quedaba. Yo no podía convertirme en una abuela tirana. Además, con Vicky, la pobrecita, que es tan buena...

Siguió hablando.

Pero Pat ya no la escuchaba. Bebía el whisky a pequeños sorbos y miraba hacia el frente como si no viera a nadie.

De repente dijo la dama:

—Si seré egoísta... Vendrás muy cansada. Querrás darte un baño y ponerte cómoda. Ve a tu cuarto, anda —pulsó una campanilla y apareció la doncella—. Susan, lleva a la señorita a su habitación.

Pat puso el vaso vacío sobre la mesa de centro.

—Bajaré a la hora de comer, abuela. Tengo sueño. ¡Sí! Y estoy cansada.

La besó en el pelo y echó a andar detrás de la doncella. Al llegar a la puerta se volvió apenas.

—¿Hay que vestirse formalmente para comer, abuela? Antes lo hacíais.

—De eso hace muchos años, Patricia. Ahora... cada uno va como mejor le acomode.

—Gracias. Eso me gusta más. Papá decía siempre, cuando recordaba esta casa, que era un fastidio ponerse de punta en blanco para sentarse a la mesa. Hay que simplificar las cosas —añadió burlona—. De nada sirve estacionarse, cuando el tiempo sigue corriendo.

Cary no tenía parada.

Todos en el salón. Todos menos Ed, que aquel día había bajado a la ciudad y no regresaría hasta muy avanzada la madrugada o quizás hasta el día siguiente.

Vicky no hacía más que preguntar por Pat.

Y la abuela la contenía.

—No vayas a verla —decía—. Estará descansando un rato. Condujo su auto desde Nueva York, se detuvo en muchos sitios. Estará rendida. ¿No te sientas, Cary?

Cary no podía.

Ardían las plantas de sus pies.

Tenía que pasear de un lado a otro nerviosamente.

—Si pararas —decía Vicky enojada—. No hay quien te aguante desde hace una semana.

Justo.

Desde que supo que Pat era aquella chica. La chica de París.

¿Qué iba a ocurrir allí?

¿Diría Pat lo que hubo entre ellos?

¿Y qué hubo en realidad?

¿Lo que él le dijo para evadir el compromiso?

¿Por qué no supo ver ya entonces que era una Anderson?

—Siéntate, Cary —pidió la abuela—. Pareces un león.

Cary no deseaba enojar a la anciana dama. Por nada del mundo. Por eso se sentó, cayendo en la butaca como un fardo.

—¿Ha sido muy incómodo el viaje? —preguntó la dama—. Cary tiene aspecto de cansado.

—Fue refunfuñando durante casi todo el viaje —rió Vicky tranquilamente—. Que si esto, que si aquello.

—¿Te pasa algo concreto, Cary?

—No, no, abuela. Pensé que en vez de ir a Talladega hubiésemos podido arreglarlo por teléfono. Pero no, me equivoqué. Fue mejor ir... Tenía razón Ed.

—Ed casi nunca se equivoca en cuanto a los negocios. Ahí viene Pat, me parece. Siento sus pasos —añadió feliz.

Pat apareció.

Vestía pantalón blanco, suéter rojo vivo de cuello en pico, con un pañuelo blanco en torno al cuello. Calzaba mocasines y llevaba el cabello trenzado, en una sola coleta, con ese aire juvenil de la muchacha moderna que pocas cosas le preocupan.

Cary quedó firme.

Pero no así Vicky, que se lanzó sobre su prima, abrazándola sin esperar a que Pat lo hiciera.

—Querida Pat. Mi querida Pat. Qué guapa estás. Pero qué reguapa.

Pat sonrió.

Ni siquiera alzó los ojos para mirar a Cary. Sabía que estaba allí, si bien no le interesaba mirarlo en aquel instante.

—Hola, Vicky —saludó riendo y devolviendo los besos con menos entusiasmo que su prima—. Tú no estás mal.

Vicky la separó un poco.

—¿Sabes que estás aún más guapa que cuando te vi la última vez?

Era el decir de Vicky.

Jamás sería una muchacha original.

Pero Pat ya lo sabía.

—Te presento a mi marido —dijo de pronto.

Pat tuvo que mirarlo.

De frente.

Como ella lo miraba todo.

—¿Cómo estás? —preguntó.

Y con la mayor naturalidad posible le alargó la mano.

Cary la apretó entre las suyas.

Levemente.

Como si de pronto se sintiera totalmente tímido o encogido.

Pat la rescató en seguida.

Antes de que Cary pudiera pronunciar una sola palabra.

Después la pronunció.

Roncamente.

De una forma muy rara.

—Mucho gusto, Patricia.

Pat ni siquiera se molestó en contestar.

Pero no había odio ni reproche en su mirada, sino más bien una absoluta indiferencia.

4

Buscó una excusa.

Era preferible a estar allí con Vicky, oyendo su cháchara insulsa. Y preferible asimismo a ver a Cary mirándola estúpidamente.

Los dejó con la abuela, pero enseguida, como si tuviera imán, se encontró con Vicky detrás de ella.

—No sabes cuánto sentí que no vinieras a mi boda.

—Ya sabes que me fue imposible.

—Cuánto debes de divertirte por esos mundos.

Pat se volvió un poco.

Encendía un cigarrillo y quedó con el encendedor en la mano, sin apartar la mirada sarcástica de su prima.

—¿Crees que sólo me divierto?

—¿No lo haces?

—También trabajo. La vida no se hizo sólo para divertirse.

—Oh, yo pensé...

Cortó.

Era su forma de decir y de ser.

—Pues piensas mal —y sin transición—: ¿Sabes que me apetece dar un paseo a caballo? No visto ropa apropiada, pero...

—Si quieres, yo te la presto. Tenemos la misma estatura, ¿no?

—Creo que sí, pero no te preocupes. Yo tengo ropa de montar. Siento pereza a ponerla ahora.

—¿No tienes novio?

—No.

—Una chica tan guapa como tú...

—¿Es que sólo las guapas se casan?

Vicky rió.

Esa risa infantil de la persona que apenas si tiene sentido.

Pat vio a Cary detrás. A pocos metros.

¿Las comparaba?

Tal vez.

Se volvió apenas.

—Tu mujer me pregunta si tengo novio, y se extraña de que no lo tenga.

Cary se acercó despacio.

Era arrogante.

Alto, firme, de cabellos rubios y ojos azules.

Pat sintió la sensación de que se hallaba en París y conocía a Cary.

¿No fue así?

Sí.

Así fue. Pero..., ¿cuánto tiempo hacía de eso? Algunos años. Bastantes...

—A Vicky le parece que todas las mujeres debieran casarse —dijo a lo simple.

—No concibo la vida sin amor —saltó Vicky feliz.

Pat no contestó.

Le calculó los años.

Es más, los sabía sólo haciendo un pequeño cálculo. Veintisiete. Pero seguía siendo infantil, con ese aire superficial de la muchacha que no tiene vena receptiva.

Ella no odiaba a Vicky. En realidad no odiaba a nadie.

Estaba allí, en Atlanta, en la finca de su abuela, porque hacía muchos años que no descansaba y prefería hacerlo cerca de la anciana dama, a quien sus padres le enseñaron a querer.

—¿Vienes por mucho tiempo?—preguntó Vicky.

Pat se acercó a la balaustrada de la terraza y miró al frente.

Anochecía.

Unas luces brillaban a un extremo del parque.

—¿Quién vive en ese pabellón? —preguntó.

—Ed.

—¿Ed? ¿Quién es?

—El administrador. Tiene parte en la finca. Cuando tu padre se negó a venir aquí, se nombró administrador a Ed. Murió éste y quedó su hijo.

—Ya.

—Lo conocerás mañana.

Le importaba un pito conocer a nadie.

Había ido a descansar y a distraerse pintando. No por Cary.

Aquello... pertenecía a un pasado ingenuo y estúpido. Cuando supo que Cary era el hombre que se casaba con Vicky lloró.

Sí.

Quizá fue la primera vez que sintió sal en los ojos. Después no.

Pensó: «Tal para cual.»

—Durante el día, esto debe de ser precioso.

—¿A qué hora llegaste? —preguntó Vicky.

—A la mañana. Pero no tuve tiempo de ver gran cosa. Entré a saludar a la abuela, luego me cerré en mi cuarto a darme un baño. Me tumbé en la cama y me dormí. Estaba cansada.

—¿Viajaste sola?

Pat miró a Vicky como si ésta fuera tonta de remate.

—Con el auto.

—Pero..., ¿sola?

—Claro.

—Huy, yo no viajaría sola por nada del mundo —se volvió hacia Cary—. ¿Verdad que tiene que ser terrible viajar sola?

Cary hizo un gesto vago.

Estaba a dos pasos de Pat y miraba a una y otra alternativamente, sin saber dónde detenerse más.

Pat terminó el cigarrillo y oyó el gong.

—Nos llaman a comer —dijo—. Ahora, como una puede sentarse a la mesa vestida a su gusto...

—caminaba ya en dirección al comedor que comunicaba con la terraza central—. Tengo apetito.

—Cary y yo pensamos salir por la noche. Una velada en casa de unos amigos. ¿Quieres venir?

¿Escuchar la cháchara de Vicky una o dos horas más? No podría.

Tampoco le interesaba un aparte con Cary.

¿Que tendría que tenerlo?

Por supuesto.

Pero no aquella noche.

—Gracias, Vicky —dijo amablemente—. Pero lo cierto es que deseo descansar. He venido a eso. A dormir muchas horas, a pintar algunos cuadros y a pensar que nada me preocupa mucho. Las fiestas me cansarían en extremo.

—Tan divertidas como son —dijo Vicky, pasando a su lado hacia el comedor.

Pat se alzó de hombros.

Gentil pasó delante de Cary.

Éste la miró largamente. No podía apartar los ojos de ella.

¿Pensar en el pasado?

Ya no tenía mucha importancia, pero... la tenía. Por mucho que se lo propusiese no era capaz de olvidarla.

Pat ni siquiera se molestó en contestar.

Más tarde, sola ya con la abuela, cuando Cary y Vicky se habían ido a la fiesta, que, según Vicky tanto la divertían, Pat comentó como al descuido.

—¿Son... felices?

—Creo que sí. ¿Por qué lo preguntas?
—No sé. Vicky es así, tan dicharachera, y él tan parco...
—Eso siempre lo pensé. Pero como Cary la deja hablar...
—No es... capitalista.
—¿Quién?
—Cary.
—Oh, no —rió la abuelita con dulzura—, pero es bueno, ¿sabes? Y no se mete en cosas que yo le agradezco, porque la personalidad de Ed no admitiría intromisiones.
—¿Fueron... mucho tiempo novios?
—Mucho. Diez años por lo menos. Yo no me enteré hasta casi dos años antes de casarse. Empezaron de broma. Ya sabes cómo son esas cosas... de jóvenes. Él vivía en Augusta. Después hizo un viaje de seis meses. Casi al final, ¿sabes? Pensé que no volvía. No escribía a Vicky, estaba desesperada. Yo nunca fui partidaria de los noviazgos largos. Pensé que lo dejarían así, cosa que, creo yo, hubiese matado a mi nieta. En fin, gracias a Dios, volvió y se casaron.
Pat encendió un cigarrillo.
—¿En qué... trabaja?
—Lleva la contabilidad de todo. A veces viaja por asuntos del negocio. En fin, que siempre hay mucho que hacer.
Pat apagó el cigarrillo.
—Me retiro ya, abuelita.

—Te quedarás mucho tiempo, ¿no?

—Un mes, dos. No sé. Veremos.

—Te hace falta el aire. Estás muy guapa, pero tienes aspecto de cansada. Estos aires sanos te vendrán muy bien.

—En septiembre tengo que estar en París.

—Viajas demasiado.

—Un poco.

La besó en el pelo.

—Pat —susurró la dama de pronto—. Pat querida. ¿Sabes que me siento muy feliz de tenerte aquí?

—Gracias, abuela.

—Pero debieras salir algo con Vicky y Cary.

Sonrió.

Sólo una media sonrisa indefinible.

Agitó la mano y se dirigió a la puerta de la salita.

—Ahora quiero descansar —dijo—. Lo necesito mucho... Mañana madrugaré y daré un paseo a caballo.

—¿Sola?

—¿No puedo?

La dama rió complacida.

—Por supuesto. Pero si te acompaña Ed, mucho mejor.

—Estoy acostumbrada a andar sola, abuelita. No lo olvides. He recorrido el mundo de parte a parte y nunca me asusté por ello.

Le envió un beso y se retiró.

—¿Se puede saber [illegible]? ¿Y qué?

—[illegible] Verónica.

—[illegible] Lola [illegible]. Lo mismo que [illegible], pero tengo [illegible] de [illegible] [illegible] como [illegible] [illegible].

—[illegible] que [illegible] en el [illegible]

—A [illegible] amistades.

—[illegible].

La [illegible] en el pelo.

—[illegible] la dama de pronto—. Pero ¿no has de saber que me siento muy feliz de tenerte aquí?

—Gracias, abuela.

—Pero ¿él no te ha dicho nada? [illegible]

Siento [illegible]

son [illegible] mucho [illegible].

A [illegible] y se [illegible] la [illegible]

[illegible] —dijo—. [illegible]

[illegible] mañana [illegible]

[illegible].

—Sí, [illegible].

—¿Te quieres [illegible]?

La dama rió complacida [illegible]

[illegible] acompañó [illegible]

[illegible].

[illegible] acostumbrada a [illegible]

No [illegible], me [illegible] de [illegible]

[illegible] me [illegible].

[illegible].

5

1

Madrugaba siempre.

Por eso, aquella mañana se tiró del lecho a las seis y se lanzó al baño.

Un buen baño, un recorrido por la campiña aún húmeda de rocío, y un trote a caballo, le sentaría muy bien.

Creyó que todos dormirían en la casa, pero cuando atravesó el patio y se dirigió a las caballerizas dispuesta a ensillar ella misma el caballo, se topó con la alta figura de un hombre.

—Buenos días —saludó aquél.

Pat, que caminaba presurosa, agitando la fusta contra las altas botas color marrón, se detuvo en seco.

Miró al desconocido.

Al menos para ella lo era, aunque dudaba mucho que lo fuese para los moradores del palacio Anderson.

—Soy Ed Blay —dijo Ed riendo—. ¿Me equivoco mucho si supongo que es usted Pat?

La hija del difunto escultor se quedó mirando a Ed.

Era alto y fornido. No elegante precisamente, pero tenía no sé qué.

Vida, fuerza, energía en su mirada, en su sonrisa, en el movimiento de sus recias manos que sostenían la fusta.

Vestía pantalón de montar, altas botas sujetando aquél, camisa a cuadros entre rojos y negros, un pañuelo verde en torno al cuello, la cabeza al descubierto.

Y una media sonrisa enseñando la blancura de sus dientes.

—No se equivoca —dijo Pat, tras un silencio mudamente contemplativo—. Soy Pat Moore.

—La pintora.

—La nieta de la señora Anderson.

—Mucho gusto, Pat —dijo Ed tranquilamente, alargando la mano.

Pat extendió la suya y dejó los delgados dedos en la fuerte mano masculina.

—Me parece que busca un caballo.

—Así es.

—Yo se lo ensillaré. ¿Quiere seguirme?

Lo hizo.

Al verlo mejor, caminando delante de ella, lo evocó a su pesar.

Nueve años antes, Ed Blay era menos fuerte, menos arrogante.

O quizá fuese que entonces ella no sabía apreciar. Tenía catorce años y Ed era algo así como un ser extrafamiliar.

A la sazón era distinto. Se notaba en él una gran personalidad y una seguridad absoluta sobre sí mismo.

¿El dinero?

¿Le daba aquella seguridad la sociedad que formaba con la viuda Anderson?

A Pat, la verdad, aquel detalle le tenía completamente sin cuidado. Puede que a Vicky y a Cary les interesara la fortuna de la abuela. A ella, no. Ella tenía la suya propia, es decir, la que heredó de su padre.

Ed ensillaba el potro mientras Pat no dejaba de pensar, en futilerías, pensaba ella.

Futilerías cuando tanto importante tenía que pensar.

—Ya está el caballo.

Pat sacudió la cabeza.

—Muchas gracias, míster Blay.

—Puede llamarme Ed. Aquí todo el mundo me llama así.

No contestó.

Montó en el potro de un ágil salto.

Vestía calzón de montar de un «beige» claro. Polainas de piel altas, mucho más oscuras que el pantalón, pero predominando el mismo color. Una camisa blanca de cuello camisero y un suéter de cuello en pico de igual color que las botas. El cabello castaño claro lo ataba con una simple goma, formando lo que se suele considerar una cola de caballo.

Monísima en verdad.

Ed la contempló unos segundos con su expresión analítica.

A decir verdad, él opinaba que estaba mucho más guapa que nueve años antes.

Claro que en aquella época la muchacha contaba apenas quince años, y a la sazón ya tenía cumplidos los veintitrés.

—Si me lo permite la acompaño —dijo Ed con su habitual franqueza—. Desconoce usted estos lugares y la señora Anderson no me perdonaría que yo la dejase sola.

—No voy a perderme —dijo Pat tranquilamente—, pero si quiere acompañarme, yo acepto de buen grado.

Ed montó su potro y lo sacó fuera de las caballerizas.

—Gracias. Es un placer para mí acompañarla. A decir verdad —añadió emparejando su potro con el de ella— tenía muchos deseos de conocerla. Cuando se supo que venía usted, la casa se tornó toda nervios y sus moradores lo alborotaron todo. En realidad, no me extraña.

»Después de conocerla, tengo que admitir que es una suerte tenerla aquí.

—¿Es... un halago?

Volvía un poco la cabeza para verla mejor. Pat no rehuyó sus melados ojos.

—¿Me considera hombre de halago?

—¿Y qué sé yo de usted?

—Es verdad. Pero yo puedo advertirle que soy lo que soy.

—¿Lo que se ve?

Ed se echó a reír.

Una risa fuerte y poco elegante.

—Sí, ¿lo duda usted?

Pat se alzó de hombros y espoleó el caballo.

Ed la imitó.

Sin esperar la respuesta que ella no iba a darle, y que él ya sabía que no le daría nunca.

Trotaron en varias direcciones durante más de una hora.

Pat sentía la brisa de la mañana en su rostro y le causaba un gran placer.

Hacía muchos años que no corría libremente, jinete en un caballo, por la sana campiña verdosa de un terreno firme y seguro.

¿Cuántos años?

Desde que falleció su padre y dejó la posesión de Atlantica City, bien próxima a Nueva Jersey, donde su padre tenía una finquita.

Volver de nuevo a correr por la campiña le producía un goce indescriptible. De repente echó pie a tierra y caminó por el ribazo contemplando el río que atravesaba el campo.

Ed lo hizo a su vez.

—Le está causando un gran placer este paseo —dijo amablemente.

Pat se volvió.

El rostro de Ed era firme y sonriente.

Pat estaba habituada a conocer a los hombres de distinta raza y distinta personalidad.

Se dijo que aquel tipo llamado Ed Blay no era corriente.

Tenía una sonrisa que apenas si le llegaba a los ojos y una mirada penetrante como un estilete.

—Voy a sentarme un rato —dijo, ajena a sus propios pensamientos anidados en su subconsciente—. Me gusta ver el río desde aquí.

Ed echó pie a tierra y se sentó a su lado con una pierna encogida y una mano apoyada en la rodilla.

—¿Por mucho tiempo?

Pat extraía del bolso una pitillera de piel y sacaba un cigarrillo.

—¿Fuma? —preguntó, y sin esperar respuesta, sin transición, añadió—: No lo he decidido aún. Quizá todo el verano, quizás un mes tan sólo.

—La sentiremos cuando se vaya —y rápidamente sacó la pipa—. Fumo en pipa —añadió después.

—¿Por qué han de sentirme?

—No sé. Porque sí, porque muchachas como usted no existen muchas.

—¿Otro halago?

—No soy halagador.

Pat fumó aprisa.

—¿Qué hace usted aquí?

—¿Hacer?

—Además de administrar la finca de los Anderson.

—Ah. —Y riendo—: Vivo. La vida se hizo para eso. Para vivirla, y yo no suelo desperdiciar ni una migaja de ella.

—¿Y... le aprovecha?

—¿Usted qué supone?

Suponía muchas cosas.

No era un jovenzuelo.

Era, por el contrario, un hombre maduro.

Tenía expresión de saberlo todo.

También de mirar demasiado hondo, de desnudar el alma.

Ella desvió la mirada.

Conocía a aquella clase de hombres, y, en el fondo, les temía un poco.

Sólo una vez creyó estar muy enamorada. Desde entonces vivía como parapetada.

—¿No tiene novio? —preguntó él de pronto.

—Es la misma pregunta que me hizo Vicky ayer noche.

Ed rió.

Una risa fuerte y divertida.

—Vicky hace preguntas sin saber por qué. Por el hábito de hablar. Es incapaz de estar callada.

—¿La... conoció siempre?

—¿Cómo?

—Siempre. Usted es hijo del que fue administrador de la hacienda Anderson. Tuvo que conocer a Vicky desde que era niña. Es más —añadió riendo, quizá para molestarle—: La abuela acariciaba la idea de que usted se casase con ella.

—No me contestó aún.

—¿Sobre... qué?

—Ese novio que causó la curiosidad de Vicky.

—No lo tengo. ¿Saciada la suya?

—Lo tendrá en seguida. En Atlanta hay chicos estupendos dignos de usted.

—Ed —exclamó Pat tranquilísimamente—. ¿Dejamos de jugar a palabras absurdas? Ni tengo novio ni pienso echármelo en Atlanta. Ni la vida social de Atlanta me gusta ni me interesaron los hombres que vi en ella.

»Usted es un hombre de mundo y se me antoja que tiene la psicología suficiente para darse cuenta de que he venido a descansar y de que si me interesara un novio lo tendría en cualquier parte del mundo.

—Es mejor así.

—¿Así..., cómo?

—Que sea usted sincera. Nos entenderemos bien. No —dijo como si recordara la pregunta de ella—, nunca pensé en casarme con Vicky. A decir verdad, Vicky, desde los diecisiete años fue novia de... Cary Crawford. ¿No lo sabía?

Pat se puso en pie y silbó al caballo.

Éste, dócil en apariencia, apareció a su lado casi en seguida.

—Me marcho. Tengo mucho que hacer, Ed.

—¿Tan... pronto?

Le molestaba la reticencia de Ed. Su mirada penetrante y aquella media sonrisa que asomaba de continuo a sus labios.

—Tan pronto, sí.

Y montó de un salto.

6

Ya no volvió a verlo en todo el resto del día.

Mejor.

Le molestaba Ed.

Su superioridad, su mirada rectilínea, su aire pendenciero y hasta su forma un poco ronca de hablar.

Era la primera vez que un hombre le molestaba tanto.

En aquel instante se hallaba en la terraza. Al fondo del patio, en una esquina del parque, se hallaba la pista de tenis.

Vicky jugaba una partida.

Vestía pantaloncito blanco, suéter del mismo color y zapatos blancos de lona y suela de goma.

Tenía la raqueta en la mano y devolvía la pelota con bastante soltura. Su contrincante era Ed.

Pat fumaba un cigarrillo. Vestía un pantalón largo de color indefinido. Una blusa escocesa atada en el vientre y calzaba mocasines. Tenía el cabello suelto. Resultaba muy bonita, casi ingrávida, medio sentada en la balaustrada, siguiendo con interés los incidentes del juego.

Eran las siete de una maravillosa tarde de junio. No notó que alguien se aproximaba. Lo vio allí mismo, a dos pasos de ella, enfundado en un pantalón blanco, camisa verdosa y con el cabello rubio al descubierto.

—Hola.

Lo miró apenas.

—Hola.

—Quién iba a pensar... —empezó Cary—, que tú y aquella chica...

—¿Es preciso?

—¿No lo es?

—No —rotunda.

—Tú lo sabías.

—No.

—¿Cuándo... lo supiste?

La voz de Pat tenía como un sutil desprecio.

—Cuando recibí la carta de Vicky invitándome a su boda. Justamente seis meses después de haberte visto por última vez.

Sus voces parecían un susurro.

Nadie al verlos hubiera dicho que hablaban de algo tan... íntimo, sino más bien de las incidencias del juego, que ellos dos parecían seguir atentamente.

—Pensarás...

—Pienso —atajó.

—Debí ser más sincero.

—Debiste.

—Pat...

—No —cortó ella otra vez—. No. Aquello... pasó.

—Nos hemos querido.

Pat dejó caer la pierna que dejaba en la balaustrada, se quedó erguida y firme. En su boca parecía dibujarse una mueca dura.

—No lo recuerdes. ¿Qué te has creído? Fuiste a la más rica. Ella lo era, pensaste tú. Pues te has equivocado. Mira por dónde te has llevado el pez menos gordo.

—Pat, no tienes derecho.

Lo miró de frente.

—¿No? ¿Qué me dijiste? ¿Me despediste siquiera? Te fuiste..., te fuiste como un cobarde.

¿Qué le pasaba?

¿Es que aún le quería?

No se daba cuenta de su ardor, pero existía. Y también existía la sumisión de Cary.

Ed lanzaba la pelota. Estaba lejos, y, sin embargo, creía entender punto por punto lo que la distancia le impedía oír.

Vicky, en cambio, no se enteraba de nada.

Claro que Vicky, según opinaba Ed, nunca se enteraba de nada en absoluto.

—Pat..., he fracasado.

—¿Qué dices?

—Tienes razón. Yo no tenía un centavo y, en cambio, tenía una novia. Una novia en Atlanta. Cuando no podía más, cuando más te quería...

No podía oírlo.

Había ido allí curada.

O al menos eso pensó.

—Olvídate de eso —dijo muy fuerte—. Olvídate, por favor.

Se iba.

Cary, incapaz de medir sus frases y sus miradas, y mucho menos sus ademanes, se le puso delante.

—Tenemos que hablar.

—¿Hablar? ¿Tú y yo? ¿Por qué? ¿No has dado la respuesta silenciosamente? La diste bien clara. Preferiste los millones de los Anderson que la ternura de una muchacha que estudiaba en París y estaba sola. Totalmente sola. Pues has equivocado tu carrera. Yo tengo media fortuna de tu mujer. Es mía. De mi madre. Y además tengo la de mi padre, que supera con mucho la de los Anderson. Vaya fracaso, Cary. ¿No te parece?

—Eres cruel conmigo.

—Sí, encima tenía que bendecirte, ¿no es eso?

—Escucha.

—No más —dijo entre dientes—. ¿Me oyes? No más.

Y dejó la terraza pisando muy fuerte.

Cuando horas después bajó al comedor, nadie hubiese imaginado la tormenta que sufrió en su alcoba.

Ed sí. Ed la miraba como analizando cada pensamiento, cada gesto, cada mirada. Y lo peor de todo fue que ella, Patricia Moore, sintió la sensación de que Ed sabía todo cuanto se podía saber de ella y Cary.

Aquella noche la abuela Joan se retiró muy pronto.

En realidad, no se sentía fuerte. Hacía algún tiempo que las perturbaciones físicas la atormentaban, aunque nada decía al respecto.

Vicky y Cary se fueron de fiesta, como casi todas las noches.

Ella se quedó en el salón ante el aparato de la televisión.

—¿No vienes? —le gritó Vicky cuando se iban.

—No, no. Gracias, Vicky.

—Qué aburrida eres. ¿Todos los artistas son así?

No se molestó en responder. Se alzó de hombros, siempre sintiendo sobre sí la muda mirada de aquel hombre llamado Ed.

Pudo sentir la mirada de Cary en la suya. Pero no quiso. No quiso encontrarse con ella.

Hubo un silencio cuando la pareja dejó el saloncito.

Ed, que vestía pantalón gris y suéter de algodón blanco, sin camisa debajo, de cuello subido, se acercó a ella con una pitillera abierta.

—Fuma.

La tuteaba. No le importó.

Era... ¿un buen tubo de escape?

No.

Era un hombre perturbador, aunque nadie lo considerara así. Ella sabía cosas de hombres. Estuvo viviendo entre ellos demasiados años, aunque jamás se enamoró de ninguno, excepto de Cary Crawford.

¿Por qué?

¿Acaso tenía Cary algo que mereciera la pena?

Ambición. Deslealtad. Cobardía...

—¿No... fumas?

—Sí, claro. Gracias.

—No merece la pena.

Tenía el encendedor delante y la llama oscilaba. Ella sujetaba el cigarrillo entre los labios, y al oír el comentario, levantó los ojos mudamente, sin encender el cigarrillo.

—Sí —rió Ed tranquilamente—. No merece la pena. ¿Quieres salir conmigo? Tengo un auto veloz... Podemos ir por ahí. Llegaríamos al centro... antes de media hora.

—¿Qué es lo que estás pensando?

—Nada.

Y se sentó cerca de ella, en el sofá que ocupaba Pat.

—Algo piensas. Algo raro que me molesta en extremo.

—Digo que no merece la pena que sufras.

—¿Qué?

—Me di cuenta.

Pat se puso en pie con cierta violencia.

—Eres temperamental —dijo Ed mansamente—. Muy fuerte, Pat. ¿O no lo eres? Lo pareces. Yo aseguraría...

—¿En qué te inmiscuyes tú? ¿Así te metes en todo?

—En todo no. Sólo en las cosas que me causan asombro, que no las concibo si no las veo. No te olvides de que yo no soy un caballero como Cary Crawford. Ni soy decente. Yo vivo... Y no me pregunto cómo ni por qué ni cuándo. Me limito a vivir.

—No te entiendo —se agitó Pat sentándose de nuevo—. O prefiero no entenderte.

—¿Cuándo fue?

Pat sintió algo caliente en la cara.

—¿Cuándo... qué?

—Cuándo os conocisteis.

Era lo que faltaba.

Que aquel tipo turbador se metiera en sus asuntos íntimos y encima acertara.

No estaba ella serena para responder.

Por eso volvió a ponerse en pie, aún sin encender el cigarrillo.

—Fuego, Pat.

—Buenas noches.

—¿Así...?

—Así..., ¿cómo? —preguntó violenta desde el umbral.

Ed rió.

Nunca odió tanto una risa como en aquel instante.

—Así..., tan airada —dijo Ed tranquilamente—. Tan temperamental. Tan ofendida. ¿No eres valiente, Pat?

Pat no respondió. No podía.

Por eso se lanzó hacia la puerta y desapareció por ella.

7

No podía dormir.

Era inútil intentarlo.

Por eso, tras medir la estancia de parte a parte, durante minutos que a ella le parecieron siglos, salió de nuevo y se encontró en la terraza superior con un cigarrillo entre los dedos.

Fumaba con fiereza.

¿Por qué?

¿Cuándo?

¿Cómo?

¿Por qué aquel Ed endemoniado tenía que saber... saber...?

—Creí que te habías retirado.

Se volvió en redondo.

Allí estaba Ed. Tranquilo, reluciente su jersey blanco de algodón, la pipa apretada entre los dientes, iluminando la llama en la noche.

—Creo que vives en el pabellón —dijo, respirando fuerte.

Ed emitió una de sus odiosas risitas.

—Por supuesto. Pero tengo acceso a todo el palacio de los Anderson. Ya ves, casi siempre me siento a su mesa. Si alguien tiene confianza en mí, confianza absoluta, es Joan Anderson, y yo hago todo lo posible por hacer honor a ella.

«Tengo que tranquilizarme —pensó Pat—. Es ridículo que yo, que tan segura me siento de mí misma, me deje perturbar por este hombre.»

—Fue hace dos años —dijo Ed como siguiendo el curso de una conversación interrumpida—. La abuela estaba inquieta —rió—. Vicky desesperada. Esta mañana me dijiste que la abuela hubiese visto con buenos ojos que Vicky y yo nos casáramos. No fue posible jamás. Siempre consideré a Vicky como a una hermana muy querida. Muy simple, sí, muy superficial, pero muy querida. Y Vicky sufría.

Guardó silencio.

Pero Pat no interrumpió aquél.

Intuía lo que iba a decir.

¿Sabía?

¿Hasta qué extremo sabía?

—Dejé Atlanta una buena mañana —siguió Ed mansamente—, y me fui a París. Allí lo averigüé todo. Todo lo que yo buenamente podía averiguar. No supe jamás el nombre de la mujer que separaba a Vicky y a Cary. Pero supe que existía.

Le retó.

En la noche, su figura parecía aún más ingrávida.

—¿Y bien?

Ed sonrió.

Sus dientes en la oscuridad relucieron como los de un lobezno hambriento.

—Eso te pregunto yo a ti.

—¿Y supones que estoy obligada a responder?

—No, por supuesto.

—Entonces..., buenas noches.

No se lo permitió.

Giró sobre sí y se puso delante de ella.

—Patricia..., ¿por qué?

Ella sacudió el brazo.

—¿Por qué..., qué?

—Eso te pregunto. Por qué una mujer como tú... se enamoró de un pobre diablo como Cary Crawford.

Miró al frente.

Tenía algo húmedo en la mirada.

Ed, que apretaba su brazo sin piedad, la soltó de inmediato y giró de nuevo sobre sí mismo, quedando de espaldas a ella.

—Parece imposible —dijo roncamente—. Imposible, sí, que una mujer como tú... se enamore de un hombre a medias.

Se volvió de repente.

—¿Eres capaz de admitir que no fue un cobarde? Tenía una novia en Atlanta. Una novia que le convenía, que tenía dinero. Él carecía de todo. Sólo su carrera, que tampoco le servía de mucho. Y, sin embargo, dos mujeres estupendas le han querido.

No esperó respuesta.

Se encaminó a la primera escalinata de la terraza. Aún desde allí, murmuró con fiereza:

—Me duele. Ésa es la verdad. ¿Por qué me duele? No lo sé. Pero me revienta que ese memo haya acaparado uno solo de tus pensamientos.

Y desapareció.

Pat sé agarró a la balaustrada.

Aún estuvo allí algunos minutos.

Después entró en su cuarto y se tiró sobre la cama. Cerró los ojos.

Despacio, como si tuviera necesidad de descanso y lo anhelara con todas las fuerzas de su ser.

No lo consiguió.

De repente, aquellos recuerdos conturbando y lastimando.

Aquellos recuerdos que quisiera destruir de un manotazo y que jamás, jamás, pudo destruir totalmente.

8

Fue en París.

Ella trabajaba sin descanso. Recién muerto su padre, sufría aquella terrible soledad. ¿Tuvo la culpa la soledad? Es posible.

Conoció a Cary en un concierto.

Sí.

Era aficionada a todo aquello que inundara su alma.

Fue a la salida.

Tropezó.

Ese tropezón vulgar que a veces tuerce el destino de dos personas.

Cary se volvió bruscamente.

—Perdone...

—De nada.

—¿Sola?

Ella sonrió a lo tonto.

—Sí.

—Me llamo Cary Crawford. ¿Puedo acompañarla?

Aceptó.

¿Por qué no?

Muchas veces aceptaba la compañía de hombres sin que ello la comprometiera a nada.

Aquello fue distinto.

La acompañó al apartamento aquel día y volvió a buscarla al otro. Así durante tres meses. Nunca se dijeron nada, pero ambos sabían que eran felices juntos.

Cary jamás la besó, pero en todas sus manifestaciones personales se advertía la admiración, el cariño, el respeto que ella le merecía.

Se amaron en silencio durante tres meses. Y cuando creía que Cary le propondría matrimonio, un buen día desapareció sin dejar rastro.

Lo esperó durante meses.

Meses interminables, que dolían al transcurrir.

Dejó París y regresó a su casa de Atlantic City, en Nueva Jersey.

Sola.

Con sus lienzos, sus libros, sus silencios, sus abrumadoras soledades.

Fue allí donde recibió la carta de Vicky.

¿Quién era Vicky?

Ah, sí, su prima.

La nieta que vivía con la abuela Joan Anderson. Casi no la recordaba. Pero de súbito aquel recuerdo se hizo dolor vivo. Vicky le enviaba una invitación para su boda.

El novio era Cary Crawford.

Dobló la cuartilla. La dobló hasta destruirla. ¿Tan enamorada estaba? ¿O era sólo su amor propio de mujer quien sufría?

Quiso cerciorarse pero no asistió a la boda.

Más adelante se llegaría a Atlanta. Sí, sí. Con aquel morboso placer de saber hasta dónde, por dónde...

Ya estaba allí. ¿Qué le ocurría?

Lo sabía Ed. Aquel hombre que turbaba con la mirada.

Dejó de pensar.

Dio la vuelta en el lecho.

No podía dormir. Oyó el motor de un auto y la risa de Vicky... La voz apagada de Cary.

¿Dolía aquella intimidad de los dos? ¿La de Cary y su mujer?

No. No podía doler. Dada la mujer que era ella, ¿cómo podía doler?

Giró en la cama. Eran las cuatro de la madrugada.

¿Cómo pudo cambiarla a ella por una persona tan simple, tan superficial, como Vicky?

El dinero.

Era lo que dolía de verdad. Haber puesto a Cary en un pedestal y descubrir de pronto que era un cobarde ambicioso.

Ya estaba allí, en casa de los Anderson, cerca de Cary y Vicky. Su prima. Su pobre prima, que nunca jamás sabría que Cary se casó con ella por el dinero.

Sintió un profundo desprecio.

¿Por Cary?

¿Por Vicky?

¿Por el hombre que lo sabía todo?

Se perdió en el baño y salió poco tiempo después.

Durmió mal y poco, y no despertó hasta las doce del día.

Cuando bajó a la terraza se encontró con Cary apoyado en la balaustrada. De nuevo Ed y Vicky jugando la partida de tenis.

—Pat —susurró Cary atragantado.

Lo vio de otra manera.

Débil, absurdo.

Pero... era el hombre que pudo ser suyo con sus debilidades, sus cobardías, sus ambiciones y se lo llevó otra mujer.

No odió a Vicky. Y, cosa rara, odió a Ed, que lo sabía todo.

—Hola, Cary —saludó serenamente.

—Estás... guapísima.

Lo miró riendo.

Una risa desdeñosa, sarcástica.

—Quisiera tener una explicación contigo, Pat.

—¿Sí? ¿Para qué?

—Yo creo...

—No creas. Aquello feneció en París. ¿Lo has olvidado? Te pusieron dos mujeres en la balanza de tus cálculos... Pesó más Vicky. ¿No es una ironía?

—Me desprecias mucho —dijo Cary sofocado.

—No. Me eres totalmente indiferente.

—Yo te amo.

No.

Oh, no. Le repugnaba oír sus declaraciones. ¿No eran absurdas?

—Voy a dar un paseo a caballo —dijo.

Y descendió la terraza, atravesando el patio a paso elástico. Vestía traje de montar. Sacudía la fusta.

Cary sintió que los ojos se le llenaban de ella.

9

Se tendió al sol junto al ribazo. Hacía calor.

El sol caía de plano.

Mejor. Nada le causaba más placer que cerrar los ojos y sentir sobre sus mejillas la caricia cálida del sol.

Estar sola. Pintar un día cualquiera, pero no aquéllos. Aquéllos eran sus días de descanso.

¿Merecía la pena permanecer en casa de los Anderson? Ya sabía lo que deseaba saber. Tal vez era un poco cruel. Comprobar la simplicidad de la mujer de Cary le producía un placer indescriptible.

—¿Puedo tenderme a tu lado?

Alzó la cabeza con fiereza.

—¿Qué haces aquí? —casi gritó—. ¿No estabas jugando con Vicky?

Ed sacó la pipa de la boca y se dejó caer a su lado sobre la hierba.

—Te vi salir a caballo. Hoy no tengo una ocupación profesional. Me dije: voy tras ella. Ya ves si soy sincero.

—No necesito para nada tu sinceridad.

—Pero yo te la doy. Te la di ayer noche y te la daré siempre. No te engaño. No sirvo ni para engañarme a mí mismo. No soy decente. Yo soy un hombre que vive la aventura y la disfruta.

—No pensarás que conmigo vas a tener una aventura.

Ed rió.

Esa risa a medias que no abría su boca. Que sólo la curvaba sarcásticamente.

—En modo alguno la intentaría con una nieta de Joan Anderson, pero si tú la deseas..., soy hombre cortés, en medio de mi indecencia. Nunca desprecio una mujer.

Lo miró fijamente.

Había en sus ojos la desagradable expresión del desprecio.

—¿Chantaje, Ed?

—No. Entras en uno.

—¿Qué dices?

—Que entras. Así, a lo suave, casi sin decir nada —se tendió en la hierba boca arriba. Encogió una pierna. Mordisqueó la pipa y miró al frente con humorismo—. Siempre escapé de la atracción silenciosa de una mujer. Sí, no me mires con esa ironía. Te aseguro que huí. Así, una huida si quieres cobarde pero beneficiosa para mi tranquilidad personal.

—¿Debo admitirlo como una advertencia?

—No. Es un simple comentario sincero, de un

hombre sincero, a una mujer ídem. Tú no te rebelaste contra mí cuando te advertí que sabía algo de tu vida íntima en París con ese pavo de Cary Crawford... El ser más inútil de la creación, que ni siquiera sirve para dar un heredero a los Anderson.

—Eres cruel y perverso.

—Soy así. ¿Qué te decía? Ah, sí. Que huí siempre del atractivo femenino. Tú eres una mujer que atrae. Sin duda debe de ser muy fácil quererte, pero a mis treinta y cuatro años, pienso que no tengo el dedo en la boca. Que no soy un imberbe ni me emociono con un sentimiento amoroso.

—Pretendes ponerme al tanto de tus encantos. ¿De... tus armas?

—No, Pat —dijo con súbita brevedad—. No es eso. Es que si algún interés siento o empiezo a sentir por ti, temo que al saber que tú te has interesado alguna vez por un hombre tan tonto como Cary, ello me hace pensar que no eres la mujer que pareces. Que bajo tu personalidad se oculta una mujer vulgar.

—Que no sirve para ti.

—Que me decepciona en cierto modo —rió cachazudo.

—Ed, me parece que te haces ilusiones absurdas, ¿no te parece?

—Inexacta la observación, querida Pat. Tienes expresión madura. Dime..., ¿has sufrido por el abandono de Cary Crawford?

—¿Tengo que decírtelo? ¿Estoy obligada a ello?

—No —rió campanudo—. No, claro. Es una pregunta absurda por mi parte.

Lanzó una mirada en torno y se volvió hacia ella de medio lado.

—Eres guapa —ponderó pensativo.

Pat, que se hallaba sentada sobre la hierba, le miró burlona.

—Eres guapa, sí —siguió Ed—. Tremendamente guapa. Pero yo..., ¿sabes? Nunca me apasiono por una belleza física.

—El hecho de que seas socio de los Anderson, de que tengas un tanto por ciento en la cosecha de algodón, no creo que te dé derecho para piropearme.

—Entras fácil —prosiguió Ed, haciendo caso omiso de las palabras de ella—. Muy fácil —se puso en pie con pereza, apoyando una mano sobre la hierba—. Habrá que estar en guardia contigo, si es que... vas a quedarte en la finca de tu abuela durante todo el verano.

—¿Tan débil eres?

—Tan hombre soy —replicó secamente.

Y silbando al potro, montó sobre él y se alejó a galope.

—¿Puedo pasar, Pat?

Se hallaba tendida sobre la cama.

Eran las siete de la tarde y no bajó a tomar el té con la abuela, poniendo una fútil excusa.

No deseaba un *tête à tête* con Vicky, pero,

puesto que estaba allí, no tuvo más remedio que sentarse en el lecho y decir con acento sereno:

—Pasa, Vicky.

La esposa de Cary pasó, y con su aire infantil empezó a dar vueltas por la lujosa estancia.

—¿Sabes que siempre la envidié? Sí, así es. Pero la abuela nunca me la dio para mí. Cuando me casé —rió feliz— le dije: «¿Me dejas decorar para mí la alcoba de tía Pat y tío Gerald?» Se enfadó muchísimo. Me dijo: «Nunca. Esa alcoba morirá así. A menos que la habite su hija. ¿Te has olvidado, Vicky, de que dejaron una hija en el mundo?» Tenía razón la abuela y no tuve más remedio que dársela. Pero siempre admiré esta alcoba.

—Siéntate, Vicky.

—¿No sales con nosotros? Dan una fiesta en casa de los Wilde. ¿No sabes quiénes son? Unos terratenientes muy nombrados en esta comarca. Al parecer es el aniversario de su boda. Dan fiestas con cualquier pretexto. Cary y yo iremos esta noche, y no sabes cuánto nos complacería llevarte con nosotros.

—He venido a descansar.

—Bueno, ¿y eso qué? ¿Es que uno no descansa también divirtiéndose?

—Mañana empezaré a pintar. Tengo interés en dejarle a la abuela alguno de mis cuadros.

—Pat —murmuró Vicky con su expresión siempre ingenua—, te aseguro que Cary está muy disgustado.

—¿Cary?

—Mi marido, mujer, sí. Dice que no hay derecho a que a tus años pienses sólo en tu profesión —se echó a reír como una niña divertida—. Cary me dijo ahora: «Vete a ver a Pat. Parece ser que no bajó a tomar el té porque le duele la cabeza. Dile que venga con nosotros esta noche.» Y aquí estoy.

Sintió desprecio y compasión.

Desprecio por Cary, que así buscaba la complicidad de su inocente esposa. Y lástima por aquella esposa inocente que ni siquiera sabía dar un hijo a la familia Anderson.

—Dile a Cary que agradezco mucho su interés, Vicky, pero que hoy no pienso asistir a ninguna fiesta.

—Ed estaba allí —dijo Vicky, convencidísima de la fuerza que Ed pudiera ejercer en aquel asunto—, y también insistió.

—¿Insistió?

—Sí —saltó Vicky feliz, con su carita de niña caprichosa—. Ed siempre se pone a favor de Cary. Los dos me convencieron para que subiera.

—¿Y les... dijiste que ibas a referirme la intervención de ellos en esto...?

—Oh, no —se llevó las dos manos a la boca—. Eso no. No lo digas tú, ¿eh?

—Por supuesto que no, Vicky. Pero diles que no me has convencido. He venido a descansar. Las fiestas, los bailes, las veladas, los tengo todos los días fuera de Atlanta. En Nueva York pertenezco a una sociedad que no perdona la pereza.

Vicky no la entendió.

Empezó a ponderar de nuevo la alcoba, los trajes de su prima, su aire moderno.

—No sabes cuánto daría por ser como tú.

—¿Qué dices?

—Claro. Eres tan... linda. Sabes decir las cosas de una manera especial. Vistes maravillosamente.

—Pero si nunca me viste vestida.

Vicky, ingenuamente, abrió los armarios.

—Pero veo tus trajes —dijo—. ¿Para qué quieres tantos? ¿No piensas lucirlos en Atlanta?

—Te regalo los que quieras —dijo Pat indiferente.

—Oh..., ¿de verdad? Tenemos la misma estatura pero yo estoy un poco más delgada que tú. ¿De veras me regalas un vestido?

—Todos los que quieras, Vicky.

Al rato, Vicky llegó al saloncito con tres trajes colgados del brazo. Ed empezó a reír sin saber a ciencia cierta por qué. Cary preguntó a su mujer:

—¿Qué es eso?

—No va a la fiesta, pero me regaló estos vestidos.

Ed soltó la carcajada.

Cary se mordió los labios.

La abuela sonrió tan sólo indulgentemente.

En cuanto a Vicky, se ponía los vestidos por delante y daba vueltas y vueltas riendo.

—¿No son divinos? Di, di, Cary, ¿no lo son?

Cary no estaba.

Ed lo vio salir rojo y rabioso.

Era terrible aquella muchacha pintora. Tremendamente orgullosa y despectiva.

10

Le causaba un morboso placer escuchar aquella conversación.

Nadie podría evitarlo.

Después de todo, él no era un caballero. Él era un hacendado y salvó la carrera que estudió a trancas y barrancas. Nadie podía exigirle corrección y buenos modales.

Por eso estaba allí.

¿Casualidad?

Había que ser sincero consigo mismo. Por casualidad, pero luego, cuando oyó la voz de Cary y la de Pat, no se retiró.

Otro más educado quizá podría haberlo hecho. Él, no.

Y además no trató de ocultarse tras la columna.

La salita de la planta baja daba acceso a la terraza. Cuando los dos personajes que había dentro se asomaran a la ventana abierta de par en par, sin duda podrían verlo, apoyado negligentemente en la balaustrada.

De momento los dos personajes en cuestión no tenían pensado asomarse a la ventana. Cary estaba allí, como si la esperase.

Pat entró con el único propósito de agarrar un libro y marcharse de nuevo a su habitación.

—Te esperaba —dijo Cary.

Ed no oyó la voz de la persona que entraba.

Oyó el ruido de la puerta al cerrarse y después la voz de Cary, ronca y airada:

—Se los diste adrede.

—¿Adrede?

—Los vestidos.

—Ah.

—¿Te complace despreciarla?

—¿Acaso tú... no la desprecias, Cary? A mí, la verdad, no me interesa despreciar a nadie. Contra mi propósito, sí te desprecio a ti. Otra vez, cuando quieras verme a solas en una fiesta social, busca la forma de invitarme tú. Enfréntate conmigo abiertamente.

—No me digas que Vicky te dijo.

—Es tan ingenua... ¿Acaso tú, que eres su marido, lo ignoras?

—Te complace decírmelo y más comprobarlo.

—Cary —la voz de Pat tenía un matiz helado y Ed pensó que estaba hartándose de hablar—, eres un estúpido. Estoy en esta casa para descansar. Hubo un tiempo en que te quise. Sí, no me mires de ese modo. Te quise porque te consideré una persona digna de mi cariño. Tú pudiste elegir. Entre el amor que me tenías a mí y el deber que te llamaba aquí. Elegiste el mejor camino. Al menos el que tú creíste mejor. Fallaste. No siento desprecio por tu mujer. Es mi prima, y siento, si acaso, una gran piedad. La piedad que me inspira su modo corto de ser y la piedad que me inspira el hecho de que siendo tan buena y tan ingenua, haya conseguido para el resto de su vida un hombre como tú.

—Yo te amo. ¿Acaso tengo la culpa?

—Claro que la tienes. Te debes a tu mujer.

—Has venido aquí sólo para perturbar mi vida.

—He venido aquí a descansar, repito —y Ed observó que aquella voz vibraba ya—. ¿Acaso te perturbo? ¿Hago algo para perturbarte? Olvídate de que existo aquí. Olvídate de que me has conocido. Tienes un buen deber que cumplir. Hacer feliz a la mujer que te mantiene como un príncipe.

—Patricia..., eres cruel.

—Soy real. ¿Acaso podría llamarse de otra manera?

—Estás despechada, y yo te digo..., te digo... que tienes mi amor.

Se oyó un portazo y Cary salió a la terraza.

—Ed —dijo—. Ed.

Ed rió.

Una risa leve, como una mueca.

—Estabas oyendo... —dijo Cary atragantado.

—Tengo oídos... No pude evitarlo.

—Tenías que evitarlo.

Ed estaba sereno. Tremendamente sereno.

—Te olvidas de que fui a buscarte a París por ruego de Joan Anderson, la cual no podía soportar la idea de que su nieta sufriera por ti. ¿Lo has olvidado ya?

Cary llevó los dedos a la frente.

—Estoy loco por ella —dijo—. Loco por ella. Siempre lo estuve.

—Eres un marrano despreciable —dijo Ed—. Yo nunca fui considerado con las mujeres, pero te aseguro que jamás se me ocurrió casarme amando a otra mujer.

—¿Y ella? Di. ¿Por qué ha venido ella? ¿Por qué ha tenido que venir, sabiendo que yo estaba aquí?

Ed dejó de mirar el rostro alterado de Cary.

Lanzó los ojos al frente.

Una tenue sonrisa curvaba sus labios.

—Es la casa de su abuela. Y bien claro que dijo que no te quería.

Giró en redondo.

Por un segundo sintió rabia. Una rabia indescriptible de que Pat Moore mintiera ante Cary.

Sí. ¿Por qué, si como decía no lo amaba, se instalaba durante todo un verano en casa de los Anderson? ¿Por qué?

—Ed..., que no sepa Vicky.

—Calla, anda —dijo alejándose—. Calla. En este instante me pareces tan ingenuo como tu mujer.

—Ed.

—¿Qué deseas ahora?

—Estoy agotándome. Yo la quería. Te juro que la quería de veras, pero Vicky..., Vicky era mi novia. Yo nunca le dije a Pat que tenía novia en Atlanta. Estaba en París y todo aquello era nuevo, hermoso, diferente...

—Pero Vicky tenía un fortunón y Pat Moore era una chica pintora que hacía sus primeros pinitos en el campo del arte, ¿verdad, Cary?

—Tú también lo piensas...

Ed rió.

Aquella risa suya que parecía una bofetada.

—¿Acaso puedes negarlo? Di..., ¿puedes?

Y se alejó sin esperar respuesta.

11

No supo si lo hizo por orgullo o por despecho.

Bajó a comer y lo hizo en la mesa con todos. Habló como si jamás en su vida nada la alterara. Ed la contemplaba entre admirado y furioso. ¿Qué sangre tenía aquella muchacha? ¿Qué valor era el suyo, que hablaba con Cary como si jamás entre ellos existiera un lazo sentimental y menos aún una disputa como la que una hora antes había tenido lugar?

Eso sí, se retiró a su aposento nada más terminar la comida. Y luego, cuando dos horas después vio el auto de Cary perderse avenida abajo, no lo dudó un segundo. Allí estaba su amor propio o su despecho. Salió del palacio y atravesó el patio. Casi inmediatamente tocaba con los nudillos en la puerta del pabellón de Ed.

Oyó pasos.

¿Hacía bien?

Tenía que hacerlo.

Era impulsiva por naturaleza y aquel instante de ímpetu no se podía evitar en su temperamento.

Oyó aquellos pasos casi allí mismo, y en seguida la puerta se abrió de par en par.

—Tú... —exclamó Ed, soltando la corbata que anudaba.

—¿Puedo pasar?

—No es normal —rió Ed burlón—. Estoy solo...

Pat pasó.

Le importaba un pito que Ed estuviera solo. Muchas veces trató a hombres solos en sus apartamentos y jamás ocurrió nada censurable. La opinión ajena a ella le tenía muy sin cuidado.

Ed cerró la puerta.

Estaba a medio vestir. Tenía los pantalones puestos y la camisa, pero el nudo de la corbata sin hacer.

—Por lo visto, también tú vas a la fiesta.

—No, por Dios —rió Ed mansamente—. Yo me voy al centro. Tengo amigos allí. No soporto las fiestas donde todas las caras son conocidas. Donde tienes que manejar todos los cubiertos y beber con moderación. Yo soy más independiente que todo eso.

—Me lo parecía.

—¿Has venido a decírmelo?

Ya estaban en una salita.

Pat no se sentó. Vestía pantalones largos de color negro. Camisa blanca remangada hasta el codo y abierta en el pecho, por cuyo cuello asomaba un pañuelo de colorines.

Gentil, con aquella expresión vaga en sus melados ojos, miró durante unos segundos al hombre que tenía delante, con el nudo de la corbata sin hacer.

—No he venido a decirte eso. He venido a advertirte que no te inmiscuyas en mi vida.

—¿Lo... hice?

—Conmigo no te sirve de nada tu gesto negligente ni ese desdén tan... ¿masculino?

—¿Sí?

—No te sirve, Ed. Quizá con tus amigas, sí. Yo no soy ni tan lista como ellas, ni tan ingenua como Vicky. Yo soy yo, y me siento orgullosa de serlo. Vicky ha ido a verme esta tarde. Que Cary le haya pedido estúpidamente que fuese a convencerme, puede pasar. Su pequeña mentalidad no da para más. Pero tú..., ¿por qué? ¿Qué interés tienes tú en unirte a las súplicas de Cary y enviar a la pobre Vicky a mí con semejante embajada?

—¿Y para decirme eso te has arriesgado a venir a mi pabellón durante la noche?

—Durante el día no estás en él, y me urge decírtelo.

Ed dejó su postura negligente y se la quedó mirando interesado.

Sí.

No era un deseo pasajero lo que sentía por aquella muchacha.

En realidad, lo que sentía, allí, muy secretamente, en el fondo de su ser, era una profunda admiración.

La miró pensativamente y fue hacia ella muy despacio.

Se sentó a medias en el brazo de un sillón y agitó el pie.

—¿Por qué, Pat?

—¿Por qué..., qué?

—Estás sola aquí, en una casa, que si bien es la de tu abuela, para los efectos tiene que ser extraña para ti.

—Lo es.

—Y, sin embargo, ese empaque tuyo, esa independencia, ese parecer que eres dueña de todos tus sentimientos y los sojuzgas..., da a los demás que te ven la sensación de que no eres extraña en ninguna parte.

—¿Me halagas, Ed?

Éste sacudió enérgicamente la cabeza.

—Deja las ironías para otra ocasión. No sé por qué me parece —dijo fuerte— que tú y yo no podemos ya jugar a ser irónicos el uno con el otro.

Ed se incorporó y fue hacia ella.

Pat se había sentado en el borde de un diván y tenía una pierna cruzada sobre otra. Fumaba un cigarrillo y sus melados ojos se alzaban interrogantes.

—¿A qué has venido concretamente? —preguntó Ed casi furioso—. Parece ser que te has olvidado de la advertencia que te hice. Ni soy un caballero ni soy un hombre decente. Hasta la fecha me he limitado a vivir y te aseguro que no siempre vivo honestamente. Si algo de honesto vive en mí, es para apreciar y admirar a Joan Anderson. Pero yo te aseguro que ninguna otra mujer merece mi respeto.

—Me tiene sin cuidado lo que para ti signifiquen las mujeres. Yo no voy a ser una más en tu vida. Yo estoy hoy aquí y mañana o pasado desapareceré sin dejar rastro. Ya no me emociona la admiración de un hombre ni me enternece su ternura.

—¿A qué has venido entonces? —gritó exasperado.

—Sabes que un día, por lo que fuese, he querido a Cary. ¿Cómo es que, sabiéndolo, te atreves a instar a su mujer, a la mujer de Cary, a invitarme en una fiesta en compañía de ambos? Es cruel y despiadada tu postura. La admito en Cary porque me doy cuenta de que es un fósil, pero tú...

Ed cambió la expresión de su cetrino semblante.

—¿No soy un fósil, Pat?

La joven se puso en pie y lo miró de frente.

Ed era más alto que ella.

De modo que hubo de levantar un poco los ojos para verlo bien. Y le miró fijamente, sin parpadear, a los ojos.

—Voy a pensar que lo eres —dijo—. Y sentiría pensarlo.

Giró.

Pero Ed la agarró por un brazo. Tiró de ella y la pegó a su costado. Así, torciéndola un poco, exclamó como si mordiera cada frase:

—¿Sabes que me perturba tu sinceridad? Pues es así. Procura... procura no venir al pabellón de un hombre por la noche. ¿Me oyes? Ni que seas la nieta de Joan Anderson frenará mi deseo.

Pat sacudió la mano y logró rescatarla.

Salió sin responder.

Ed estuvo a punto de correr tras ella, pero no lo hizo. Alzó la mano y la pasó lentamente por la frente.

Al día siguiente, Pat agarró sus bártulos, los metió en el auto y se alejó de la finca de su abuela.

Tal vez pintando lograra un poco de tranquilidad.

¿Regresar a su finca de Atlantic City? Hubiese sido lo mejor, pero... también sería como demostrar a Cary que seguía interesándole y huía.

Cruzó el patio y salió a la avenida, antes de dejar la cerca de la finca de su abuela.

Fue allí, al esperar a que el jardinero le abriera la verja, cuando alguien se acomodó a su lado en el auto.

—Buenos días, Pat.

Miró.

Tan fijos tenía los ojos en la verja, esperando que ésta fuese abierta, que no sintió los pasos de Ed acercarse.

—¿Te vas?

—Por una semana.

Ed entornó los párpados.

Vestía pantalón de montar y altas polainas de cuero. Camisa a cuadros, predominando el gris y el cabello al descubierto.

—¿Vas... muy lejos?

—Nunca sé adónde voy. Sé cuándo salgo, pero ni pienso en cuándo puedo volver, ni el lugar donde me estacionaré.

—Llevas tienda de campaña... ¿Sabes que en muchas leguas a la redonda son terrenos de los Anderson?

—¿Y eso qué significa?

—Que puedo encontrarte yo.

Pat sonrió.

Le gustaba el descaro de Ed, su fraseología y aquel mirar zorro de sus ojos.

Pero sólo le gustaba.

Quizá si no hubiese recibido un duro desengaño, al conocer a Ed se habría enamorado de él.

Sonrió, pensando que era tonto por su parte creer tal cosa.

—Me gustaría ir contigo —dijo Ed quedamente—. Mucho, Pat. No sé qué tienes. Atraes, turbas y entonteces. ¿Nunca te lo han dicho?

—Muchas veces.

—Ayer noche me quedé muy solo cuando te fuiste —Pat no sabía si hablaba en serio o en broma. Era la peor cosa que tenía Ed. Aquel carácter suyo tan enigmático—: No sé si me creerás si te digo que no salí de casa. Yo que me las prometía tan divertidas en el centro y resulta que me quedé en casa como un corderito.

—Voy a salir, Ed. Tengo la verja abierta.

—Si me dejas ir contigo...

—Ed..., ¿es que no me conoces aún?

Él la miró cegador.

—Es lo que estoy pensando que deseo mucho. Conocerte bien. Conocerte algo —bajó la voz y metió la cabeza por la ventanilla—. Pat..., ¿sabes una cosa? Cary es el cretino mayor de la creación.

—Déjame seguir.

—¿Cuándo... volverás?

—¿Volver?

—Sí, aquí.

—No sé.

—¿Mañana?

—Por supuesto que no.

Inesperadamente, Ed puso su larga mano morena sobre los dedos pálidos y suaves que sujetaban el volante.

Los oprimió de una forma rara.

—Estás —dijo roncamente— entrando en mí de una forma impetuosa, Pat. ¿Por qué has venido? Yo era un hombre feliz. Te aseguro que muy feliz, y de repente apareces tú, y..., y...

Pat rescató su mano. Puso el auto en marcha y salió de la finca sin mirar hacia atrás.

Cary apareció tras Ed.

Su voz tenía un matiz ronco, ahogado, casi confuso...

—¿La amas?

Ed se volvió en redondo.

—¿Qué dices?

La expresión del rostro de Cary parecía cruel. Por un segundo, no supo por qué razón, Ed tuvo miedo de lo que Cary iba a decir.

Pero Cary lo dijo...

12

Fue una aventura deliciosa.

Ed sintió la sensación de que en Cary hablaba un malvado.

Estuvo a punto de girar hacia él, agarrarlo por la solapa, tirarlo al arroyo y después meter el pie en el agua y sujetar la cabeza de Cary con aquel pie bajo el agua.

Pero no ocurrió nada de eso.

Ed no era hombre que se dejase dominar ni alterar por un comentario ajeno, aunque éste le afectara profundamente.

Con una paciencia que no existía, con una sonrisa que era más bien una mueca, pero que no dijo nada concreto al fósil de Cary, éste siguió diciendo:

—La quise mucho, o al menos la deseé como un loco.

—¿Tengo que escucharte? —preguntó Ed secamente.

Cary puso expresión inocente.

—¿No quieres? Eres un buen amigo... y yo tengo ganas de hablar.

—¿De... tus amores con Patricia Anderson?

—¿Y por qué no?

—No eres un caballero, Cary —dijo, aún deseoso de hacerle callar sin una bofetada.

Le dolía, sí.

Le dolía lo que él tuviera que decir.

Y en la expresión del rostro de Cary se apreciaba la clase de comentario que iba a hacer.

Era lo que no quería.

No por él, por Pat.

Por una muchacha personal que parecía no tener corazón ni sentimientos y.... ¡cosa extraña!, de súbito se le antojaba que estaba sobrada de ambas cosas.

—Fue la aventura más deliciosa que tuve —dijo Cary, echando a andar por el sendero enarenado bajo las dos hileras de tilos, que daban una deliciosa sombra a la avenida—. Yo tenía novia en Atlanta. Jamás dejé de pensar que un día me casaría con ella —alzó los hombros—, pero... vivir una aventura así, tan turbadora, con una chica tan personal..., merecía la pena.

—Mientes.

Cary se detuvo y volvió la cabeza.

—¿Qué te pasa, Ed?

Ed no estimaba a Cary como persona digna.

Fue por esa razón.

Depuso su ira y sonrió mansamente, aunque un

buen observador hubiera advertido la cólera que dentro le agitaba.

—Nada. ¿Es preciso que refieras tus... intimidades? —esto lo recalcó—. Y a una persona que maldito lo que le interesan las mismas.

—¿Y por qué no? Hay que decirlas a alguien, o uno revienta.

—Supongo que ahora ya no te interesará Pat Anderson.

—No te olvides que si se llamara así, Anderson, yo sabría de quién se trataba. Su padre era Moore.

—Ya.

—Sí, Ed, sí, tengo que hablar. ¿Acaso no eres un hombre, buen amigo mío? Ella ha venido a perturbar mi vida. Quiero a Vicky, pero lo de Pat fue... algo demasiado turbador para que un hombre lo olvide.

Ed metió las manos en los bolsillos del calzón de montar.

Sus fuertes botas resonaron con saña en el sendero enarenado.

Cary siguió diciendo suavemente:

—Me hubiese casado con ella, pero... no era yo hombre, en aquella época, que se casase con una chica tan... interesante, pero a la vez tan...

—¿Vas a decirlo, pese a que sabes que yo no quiero escucharte?

Cary rió.

Una risa cruel y perversa.

—¿Por qué? A todos los hombres les gusta saber cosas de mujeres. Yo puedo decirte que ésa fue, o seguirá siendo, pese a su empaque soberbio, de un apasionamiento arrollador. Resulta agotadora para un hombre tan apacible como yo. Cuando nos veíamos en su apartamento... ¿No te dije que nos veíamos allí? Salía yo al amanecer de aquel apartamento...

Ed caminó aprisa.

Podía darle una bofetada.

Romperle la crisma.

Destruir su expresión de sádico idiota.

Pero era el nieto político de una mujer a quien admiraba y apreciaba mucho. Y el esposo de una criatura inocente, que vivía al margen de los barullos de su marido. Por otra parte..., ¿y si era verdad?

¿Y si su vida con Pat fue tan íntima que le daba derecho a referírsela a él?

Giró la cabeza.

Cary estaba allí.

Tan manso, tan apacible, tan... ¿sincero?

Lo parecía.

—Lástima que llegases tú —rió Cary con todo cinismo—. Yo nunca dudé en casarme con mi novia, pero..., diablo, una aventura de vez en cuando.... ¿quién la evita?

No se pudo contener.

¿Tanto amaba él a Patricia Moore, que no fue capaz de sujetar su mano?

La alzó, y aquélla cayó como un mazo en todo el rostro de Cary.

Hubo un silencio.

Ed quedó tenso.

Cary medio encogido, caído contra un árbol, mirando a Ed con extrañeza.

—¿Qué has hecho?

—Te he dado una bofetada. Te la di por dos razones. Porque eres un cretino, hablando de una mujer que es prima de quien te mantiene, y porque delante de mí no hay hombre que mancille el nombre de una mujer.

»Ahora, con ese ojo morado, puedes ir a explicarles a tu mujer y a Joan Anderson por qué te lo han puesto así.

—Tú... la quieres. La quieres de verdad.

Ed hinchó el pecho.

A sus treinta y cuatro años, escuchar a Cary parecía una majadería.

Pero pensó que, tuviera los años que tuviera, la experiencia que aquellos años le dieron, quizá Cary Crawford por primera vez en su vida tuviera razón.

Giró sobre sí y sin mirar hacia atrás se dirigió a su pabellón.

Cary fue incorporándose poco a poco y luego caminó hacia la casa llevándose una mano al ojo lastimado.

Tres días después, Ed Blay recibió una llamada. Fue un criado de la casa grande quien trajo aquel recado.

—Dice la señora que vaya usted a verla.

No solía ocurrir.

Joan Anderson recibía todos los días su visita. Hablaban ambos de lo que ocurría durante el día y Ed se retiraba, si bien de vez en cuando se sentaba a la mesa con ellos.

Aquel día, Cary y Vicky no estaban. Habían ido de pesca con unos amigos, y Ed los vio salir bien de mañana desde la ventana de su pabellón. ¿Por qué lo llamaba Joan Anderson, si el día anterior estuvieron juntos en el despacho, tratando precisamente de sus asuntos?

Se alzó de hombros.

Atravesó el pasillo y vestido como estaba —calzón de montar, polainas y camisa blanca y suéter de cuello en pico de un verde oscuro— se dirigió al sendero que separaba la casa grande del pabellón.

No sabía nada de Pat.

Muchacha independiente, se había ido con sus pinceles, su auto y su caballete, sabe Dios dónde.

Mejor para todos.

Ojalá no volviera.

Frunció el ceño.

Vio a Cary dos veces, después de abofetearle, pero, por lo que fuese, nada dijo que evocara aquel instante. Estaba él presente cuando Vicky le preguntó qué le pasaba en el ojo, y Cary, con todo su cinismo, murmuró:

—Me caí contra el tronco de un árbol. Fue una caída desgraciada.

¿Es que ni siquiera tenía valor para enfrentarse a la realidad?

Lo tenía, pero creía haber metido el dedo en la llaga y tenía buena razón para pensarlo así.

Cruzó el ancho sendero, se dirigió por la puerta grande a la alta casa y penetró en ella.

Una doncella le dijo inmediatamente de verlo en el vestíbulo:

—La señora le está esperando. Pase por aquí, míster Blay.

—No sé qué haces —ponderó él divertido— para estar cada día más guapa.

—Es usted muy amable, señor.

—¿Cuándo saldrás conmigo?

La doncella se ruborizó, pero hizo caso omiso de la invitación.

A decir verdad, míster Blay siempre hacía una invitación parecida, pero jamás en serio.

—Por aquí, señor.

Ed avanzó.

No temía nada.

¿O... lo temía?

Sólo un tema le perturbaba. Sí, cosa extraña en él, que siempre se consideró dueño de sí en todos los terrenos. El tema que mencionase a Patricia Moore.

—¿Eres tú, Ed? —preguntó la voz armoniosa de la dama.

—Sí, señora.

—Pasa, pasa. Quizás estés un poco asombrado. Nos hemos visto ayer, y hoy bien podía esperar yo a que llegase la hora de entrevistarnos en el despacho.

Ed cruzó el saloncito íntimo de la dama y besó reverencioso su mano.

—Siéntate, Ed.

—¿Es... grave?

—No. O quizá sí. No sé. Tú me dirás. Precisamente te llamo para eso.

—Estoy a su disposición.

—¿Quieres sentarte cerca de mí? Mira —mostró una carta—. Es de Pat.

Ed levantó un poco su potente busto.

—¿Pat?

—La he recibido esta mañana. En el correo que acaba de llegar. Se encuentra en los montes de Alhens. Dice que pinta los mejores paisajes del mundo. Es posible que tenga razón. Pero... ¿sabes?, noto en toda la carta como un desaliento. Como si se sintiera triste, sola... No sé.

Ed pidió permiso para fumar.

—Sí, sí —rió Joan Anderson mansamente—. Cómo no, Ed. Ya sabes que conmigo puedes considerarte como si aún viviera tu madre y te contemplara cariñosamente. Por supuesto que puedes fumar —y sin transición, causando el asombro de Ed—: ¿Quieres leer la carta?

—Señora Anderson...

—Como Vicky se fue y Cary también..., aparte de que a éste no creo que le interese mucho.

—Es que...

—Bueno —dijo la señora Anderson, guardando la carta en el regazo—. Déjalo. Te estoy cansando. ¿Quieres tomar el té conmigo? ¿Sí? —pulsó un timbre—. Nos lo servirán en seguida.

13

—Hace justamente una semana que se fue Pat —dijo cuando la doncella salió de la salita, después de dejar el servicio de té sobre la mesa de centro—. Me habitué a ella los pocos días que estuvo aquí. ¿Sabes qué deseo de ti, Ed?

—No... tengo ni idea.

—Que vayas a Alhens.

Ed casi dio un salto.

—A buscar a Pat.

—Señora Anderson...

Joan, aquella anciana que lo veía todo desde su ventana, sonrió tibiamente.

—¿Te refiero algo muy íntimo, Ed?

—Pues...

—Verás, hace muchos años, cuando falleció mi marido y dejó todo en poder de tu padre y tuyo.... yo pensé, y se lo dije a mi marido cuando éste se hallaba en el lecho de muerte..., que sería estupendo que tú pudieras casarte con Vicky.

—Pero Vicky tuvo novio muy pronto.

—Sí, Ed, sí. Pero no es eso, ¿verdad?

—¿Qué quiere decir?

Joan Anderson sonrió de nuevo con mansedumbre.

—Aunque Vicky no tuviera novio, tú jamás te hubieras casado con ella. Vicky no es la mujer apropiada para ti. Vicky está muy bien casada con Cary... —se alzó de hombros con un gesto vago—. No es que Cary trabaje mucho ni sirva para gran cosa, ¿verdad? Pero hace feliz a Vicky. Eso es lo importante cuando se trata de una familia que posee una fortuna inmensa. ¿No es cierto, Ed?

Ed no sabía adónde iba a parar.

—No la comprendo —dijo sinceramente—. Hace muchos años que usted dejó de acariciar la idea de que yo me convirtiera en su nieto.

—Ciertamente. Pero ahora... la vuelvo a acariciar. Te interesa tanto como a mí, Ed. ¿No te parece?

Ed tensó el busto.

Seguía sin comprender. O... ¿sería más bien que prefería no hacerlo?

La dama se apresuró a decir, sin esperar respuesta:

—Esta hacienda requiere una mano dura para administrarla. Tu mano, Ed. Me di cuenta de ello hace muchos años, cuando me percaté de que todo marchaba mejor desde que la manejabas tú. Verás, Ed. Permíteme que te hable como si fueses mi hijo. Ese hijo que toda mujer desea tener y no siempre ve cumplidos sus deseos. Ya no soy joven —añadió sin que Ed la interrumpiera—. Por el contrario, soy una anciana y siento que esta máquina se puede parar un día cualquiera. ¿Quieres saber lo que ocurrirá el día que yo cierre los ojos para siempre? De momento soy como un muro de contención a tantas ambiciones como siente Cary Crawford, y que, ladinamente, sojuzga.

—Señora Anderson...

—Es la hora de la sinceridad, Ed. No podemos andarnos por las ramas, cuando el piso firme está aquí abajo —y golpeó éste con el bastón—. Te das cuenta, ¿verdad?

Iba dándosela.

Pero no lo dijo.

—Tú has vivido tu vida, Ed. Tienes treinta y cuatro años. Yo sé que los has vivido intensamente, y que si hubieras podido hubieras seducido a mis doncellas.

—Señora...

—Perdona, Ed. Pero sé también que ya vas apaciguándote. Sales menos. Duermo poco, ¿sabes? Desde la ventana de mi cuarto veo tu pabellón... Perdona, Ed, que entre tanto en tus intimidades. Por mucho que seas mi socio en cuanto a la cosecha de algodón, no tengo derecho a inmiscuirme en tu vida, pero yo... no tengo mucho que hacer, ¿sabes? Y me entretengo observando.

—Señora, me abruma usted. Creo que sabe tanto de mí como yo mismo.

—Sé de todos —dijo Joan Anderson quietamente—. Sé muchas cosas. Sé, por ejemplo, que Cary no se cayó contra un árbol. Lo que no sé es por qué le diste aquella bofetada. Yo estaba allí. ¿Ves? —y señaló suavemente el ventanal—. Se domina desde ahí toda la avenida. Os vi... a ti despedir a Pat, y a Cary aparecer luego... Y vi también cómo le dabas una soberbia bofetada.

—¡Oh!

—Pero no te preocupes. No voy a preguntarte por qué lo hiciste —y haciendo una rápida transición añadió—: Imagínate que yo fallezco —siguió quedamente—: Suponte que desaparezco un día cualquiera. ¿Sabes lo que ocurrirá? ¿Te lo digo yo? Todo el imperio que levantó mi difunto esposo durante años y años, que tanto luchó para conseguir, se derrumbará como una pompa de jabón. Y es lo que deseo a toda costa evitar. Cary venderá todo el imperio. Pat aceptará el dinero que le den. ¡Ella tiene tanto! Y la labor de años y años se convertirá en nada. Tú también tendrás tu parte, pero no podrás oponerte a la venta, porque serás una parte mucho más pequeña que la de Vicky y la de Pat. Ah..., pero si tú unes la tuya a la de Pat, entonces seréis los más fuertes, y quienes tendrán que irse serán Cary y Vicky.

¿Iba comprendiendo?

—Pretende usted...

—Debo de ser algo visionaria, ¿sabes? Porque, en efecto, es lo que pretendo. Cary está aquí por mí, pero por él se hubiera ido a Augusta hace mucho tiempo con su mujer, y Vicky, que es una muchachita muy buena, muy dulce, pero muy parrandera, habría seguido a su esposo con muchísimo gusto.

—Señora Anderson...

Ésta agitó el bastón en el aire.

—¿Es... imposible, Ed?

—¿Imposible?

—Eso te pregunto. ¿Tan imposible es? —Y con mucha suavidad añadió—: ¿No irás a buscar a Pat a Alhens? Ya ha pintado bastante. Dile que vas de mi parte y...

La quería.

O al menos la deseaba tanto que el cariño tenía que estar a la puerta de aquel deseo. Pero... ¿cargar con la amante de Cary?

No.

No podría.

—Ed..., ¿qué piensas?

Ed pasó los dedos por la frente.

—Iré si así lo desea usted, pero...

—No me interesa el pero, Ed. De momento sólo me interesa que la busques y le pidas que vuelva a casa. Por estos parajes hay paisajes muy bonitos que plasmar en un lienzo.

Ed se puso en pie.

Tenía la taza de té intacta y ya estaba frío.

Pero, en cambio, él sentía un calor sofocante en todo su ser.

—Ed..., ¿te has enfadado mucho?

—Señora...

—Soy tan anciana, Ed —añadió suavísimamente—, y tengo tantos deseos de ver este imperio seguro.

—Pero no por medio de una boda.

—Sólo así se podría conseguir.

—¿Supone usted que cedería Pat si yo se lo dijera?

—Bueno —sonrió con tristeza—, Pat no tiene motivos para quererme mucho. Quiero decir, que el roce hace el cariño, y ella no tuvo mucho roce conmigo. Pero sabe muy bien, porque mi hija se lo habrá dicho infinidad de veces, el trabajo que le costó a su abuelo levantar este imperio en los campos de Atlanta... Es seguro que deseará que siga existiendo este mundo llamado Anderson.

—Eso es puro sentimentalismo —adujo Ed con amargura—. Para nosotros significa mucho. No sólo para usted. También para mí, pero... ¿no ve usted que ni para la misma Vicky significa lo mismo?

—Bueno, bueno. La pobre Vicky... es tan infeliz. ¿Acaso puede saber una persona como Vicky lo que un imperio así significa?

—Y usted supone que Patricia sí lo apreciaría.

—Sí. Ya ves cómo son las cosas. Pat es toda una Anderson, aunque se apellide Moore.

—Iré hoy mismo —dijo decidido.

—Gracias, Ed.

—Pero no piense usted...

—No.

—¿No qué?

Sonrió con una mueca suave, suave, de la mujer que sabe demasiadas cosas y dice muy pocas.

—No me hago ilusiones, Ed, si es eso lo que pretendes hacerme comprender.

—Eso es.

—Pero...

—¿Pero?

Ya estaba en pie.

La dama seguía sentada.

Con el bastón golpeando rítmicamente el suelo.

—¿Pero..., Ed?

—Nada.

—Sí, Ed, sí, algo. Yo te diré qué...

Se le quedó mirando interrogante.

La dama sonrió con tibieza.

—Estás... muy enamorado de ella.

—Señora Anderson...

—No serás Ed Blay, el chico en quien yo tengo puestas todas mis esperanzas y mi confianza desde que perdí a mi esposo, si no consigues a Pat.

—Señora...

—Vete, Ed. Sal ahora mismo. Se hospeda...

Lo dijo.

Ed apretó los labios.

¿Es que se iba a dejar manejar por aquella anciana como si fuese un muñeco?

No quería.

Se rebelaba contra ello y, sin embargo..., se estaba dejando manejar. ¿Por qué razón? Porque...

ella indicaba aquello que él por encima de todo deseaba.

—Conduce tú al regreso, Ed.

—¿Por qué supone que ella accederá a volver?

—Porque tú eres tan persuasivo...

—¡Señora!

—Perdona, Ed —y mansamente—: Veo tantas cosas desde mi silenciosa ventana...

Ed salió pisando muy fuerte.

Miraba al frente.

No sabía si veía algo o no veía nada.

Caminaba, eso sí, dispuesto a tomar el tren aquella misma tarde.

14

Se sentía cansada.

Tendida en un diván, oía los ruidos de la calle filtrarse a través del ventanal abierto.

Hacía demasiado calor.

De repente sonó el timbre del teléfono.

¿Quién podía ser?

Salvo su abuela, nadie la sabía en Alhens. Además, a nadie conocía allí. Se había dedicado a pintar durante toda la semana y sólo hizo dos cuadros.

Dos tan sólo, cuando en otra ocasión se hubiese hecho con diez o doce apuntes.

Toda la culpa la tenía aquel desánimo.

¿Debido a qué?

¿Cary?

Bah, era algo que pertenecía a un pasado absurdo.

Se tiró del diván con pereza.

Vestía pantalones largos de un tono amarillento. Suéter negro de cuello en pico, y calzaba mocasines. El cabello lo ataba con una goma, formando una baja cola de caballo.

—Diga.

Y se sentó a medias en el brazo de una butaca.

—Hola.

Casi dio un salto.

—¿Tú?

—Acabo de llegar al hotel.

—¿Ocurre algo en mi casa?

—No, no. Sin querer oí el comentario de que una pintora estaba en el hotel... Pregunté en recepción y resultaste ser tú.

—Ah.

—¿No... bajas?

Era una tentación.

Aquel hombre...

¿No la atraía demasiado?

Sí.

Por eso estaba allí.

Le gustaba la independencia. Quería ser independiente, y de repente..., como una atadura, aquel ser convertido en hombre.

Le ocurrió alguna vez. Pocas, después de conocer a Cary y sentir su fracaso. Pero alguna, sí.

—Pat...

—¿Aún estás ahí?

Y siempre huía de ellos cuando le interesaban un poco.

Por eso huía también de Ed Blay.

—¿Por qué no subes a saludarme? —preguntó Pat, riendo, haciéndose la valiente—. Tengo una *suite* para mí sola.

—De acuerdo. Estaré ahí antes de cinco minutos.

Y colgó.

Quedó un poco tensa.

Seguro que Vicky nunca invitó a un hombre a subir a su habitación. Pero es que a Vicky, si bien le gustaba disfrutar, era la clásica chica de pueblo llena de prejuicios.

Ella no los tenía.

Ella sólo estaba bien segura de sí misma.

Dio algunas vueltas por la estancia.

Todo estaba en orden. Por la puerta entreabierta de la salita se veía la alcoba. Después esperó en pie a Ed.

¡Ed!

Un hombre formidable, sin duda. Algo golfo quizá, pero sería un buen marido para una chica de Atlanta, suavecita, buenecita..., sumisa...

Tocaron en la puerta.

—Pasa, Ed.

Ed pasó.

Vestía de gris. Impecable.

Distinto.

Al menos a ella se lo pareció. Distinto, precisamente porque rara vez lo vio vestido de calle. Siempre de traje de montar o faena.

Aquel día parecía otro. Camisa blanca impecable, corbata discreta, traje gris de verano. Zapatos negros...

—Pasa, Ed —dijo, riendo.

Ed no pasaba.

La miraba desde el umbral.

Tenía en sus ojos una profundidad rara. Algo que la perturbó a su pesar. Aquellos ojos parecían desnudarla y ella tuvo la sensación de que sentía el calor de aquella mirada en la propia carne desnuda.

—Pasa, te digo.

Ed aún lo dudó.

—¿Qué temes? —rió ella, haciendo su papel de parapeto.

—¿Tengo algo que temer?

—No sé. Por tu aspecto, ahí, tan firme..., se diría que temes que estar aquí conmigo te comprometa.

—Quizá no soy tan fuerte como tú.

—¿Es un halago?

—Siempre haces la misma pregunta.

—Es que siempre tienes algo distinto que decir.

—Quizá yo sea distinto.

—Puede, aunque no deja de ser una vanidad tonta.

Ed pasó.

Cerró y avanzó despacio hacia ella.

Fue simple el ademán de Ed. Simple y natural. La agarró de la mano, tiró un poco de ella e, inesperadamente, la pegó a su pecho.

—¿Qué haces? —preguntó Pat asombrada.

—No sé.

—Pero...

Ed rió.

En su rostro, de una forma rara, como si sus labios los curvara una mueca amarga.

—Ed..., suelta.

—¿Qué te pasa en la voz?

—Suelta, te digo.

No la soltó.

Tampoco Pat tenía fuerzas para apartarlo de sí. De repente se diría que algo la paralizaba.

La fuerza de Ed, su inesperada reacción, la suave mueca de sus labios, aquel mirar largo de sus ojos...

—Ed..., ¿qué haces? ¿Qué te pasa?

Ed no dijo nada.

La dobló en su pecho sin que ella opusiera resistencia al beso.

Luego la soltó y sin decir palabra, sin buscar sus ojos, dio la vuelta sobre sí mismo y quedó firme mirando al frente.

Tampoco Pat dijo nada.

¿Una emoción le impedía hablar? ¿Una rabia incontenible?

¿Una debilidad muy femenina? Fue Ed quien giró.

La miró de modo raro.

—Me gusta saludarte, Pat —dijo sin recordar el beso que acababa de darle y que aún ardía en los labios de Pat.

—¿Así?

—¿Cómo?

—¿Saludas así... a todas las mujeres?

—No. Sólo de vez en cuando. Cuando ellas... me dejan.

¿Pretendía herirla?

Pues lo estaba consiguiendo.

—A mí no me pediste permiso.

Ya estaba sereno.

Tenía una sonrisa suspicaz en los labios.

—Lo has... tolerado. ¿Es... tu costumbre?

¿Qué le pasaba a Ed?

Quiso ofenderlo.

Tal vez no lo consiguiese. Sólo si la amaba un poco... lo lograría.

—Suele serla —dijo, riendo.

—Ah.

—¿No te lo... parecía?

—Es posible.

—Toma asiento, Ed.

Él la miró fijamente.

Tenía algo raro en las pupilas. Como un fuego abrasante.

—¿Lo haces... con todos los hombres?

—¿Podrías tú impedirlo si así fuese? —preguntó ella mansamente.

Ed metió las manos en los bolsillos.

Era la primera vez que una mujer le lastimaba de verdad. Y si le lastimaba era porque, pese a todo y contra todo razonamiento, le interesaba más de lo que jamás le interesó una mujer. No por lo que Joan Anderson le pidió. ¡Oh, no! No era él hombre que se dejara convencer por una mujer, por mucho que la admirase y la apreciase.

—¿Lo es?

—¿Tengo que darte una respuesta concreta, Ed? —rió ella, ya dueña de la situación.

Ed apretó los puños dentro de los bolsillos.

—No, por supuesto, pero... tu confirmación me da opción a una nueva prueba.

Pat extendió la mano.

La puso delante de los dos.

—Eso no. Yo suelo elegir los hombres que... me gustan.

Ed no dijo nada.

Giró en redondo.

No podía soportar aquel cinismo.

No quería a Pat para una aventura.

Sabía que aun cuando pudiera vivirla con ella, pretendería y querría seguir viviéndola toda la vida.

—¿Te vas?

—Ya... te he saludado —dijo, asiendo el pomo.

—Podemos cenar juntos, Ed —dijo entre burlona y emotiva.

Pero Ed no vio más que burla en su acento.

Se fue sin responder.

Cuando la puerta se cerró tras él, Pat apretó las sienes. Podría parecer absurdo en una mujer como ella, tan mundana, tan habituada a desenvolverse sola por el mundo, pero lo cierto, lo asombroso era que no la besó jamás hombre alguno, excepto Ed.

15

No esperaba aquella llamada.

Aún estaba tendida en el diván con los ojos cerrados, centrada en el recuerdo turbador de aquellos besos. Al sentir el teléfono, sólo alargó la mano y acercó perezosa el auricular al oído.

—Dígame.

—Te invito a comer.

—Ah...

—¿No... quieres?

—Te fuiste así...

—Como tenía que irme.

—Pero, Ed —se burlaba, costándole dolor aquella aparente burla—, ¿tanto te molesta que otros hombres me hayan besado?

—¿Quieres... callarte?

—No te comprendo. Créeme...

—Cállate.

¿Qué tenía la voz de Ed?

Vibraba. Como un sofoco. Como una ira en su arpegio.

—Estaré lista dentro de un cuarto de hora.

—Te espero en el vestíbulo.

—No me gustaría verte enfadado, Ed.

—Voy a vivir contigo una aventura esta noche —dijo él colérico.

Pat rió.

Una risa que parecía atravesar el hilo telefónico y herir profundamente.

—¿Lo deseas tú?

—¿No es suficiente?

—No —con firmeza—. Claro que no. Tendré que decirlo yo.

—¿Y... no lo vas a decir?

—No.

Y colgó.

Al cuarto de hora justo se hallaba en el vestíbulo.

Gentilísima dentro del atuendo de verano. Descotado, con un echarpe sobre los hombros desnudos. Con la falda corta y aquel aire suyo tan... cosmopolita.

Ed le salió al encuentro.

Parecía malhumorado y casi fiero.

Sin decir palabra la agarró del brazo y la empujó hacia la salida.

—¿Qué te pasa? —preguntó, riendo.

Y es que en aquel instante le parecía que Ed detestaba a todos los hombres que la miraban, y ello, por lo que fuese, le causaba un íntimo placer.

—Camina. ¿Tienes el auto ahí?

—¿Y qué falta hace un auto en un piso como

éste? Lo tienes todo a dos pasos. Todo lo poco que hay.

La pregunta surgió de súbito.

Para hacerla se inclinó mucho hacia ella. La miró cerquísima.

—¿Cuándo vuelves?

—¿Adónde?

—Te estás burlando de mí.

—No sé por qué estás aquí, Ed. ¿Por mí? Te mandó la abuela a buscarme como un día te mandó a París.

—Es lo que te duele, ¿verdad?

—¿Que hayas ido a París?

—Que te haya arrancado de los brazos al hombre que querías.

Pat se detuvo un segundo.

Sólo mirarla comprendía uno que nunca pudo amar entrañablemente a Cary. Al menos, a Ed no le cabía en la cabeza que una mujer como Pat, tan entera, tan personal, tan bella y... tan madura, se enamorara jamás de un pelele como era Cary.

—Te voy a decir una cosa, Ed —dijo sin caminar—. Una sola cosa. Y que esto quede bien claro para el futuro. Un día cualquiera regresaré a mi casa de Atlantic City. Es posible que dentro de una semana, de un mes y tal vez sólo de un día —movió la cabeza dubitativa—. No lo sé. Depende de muchas cosas, pero, desde luego, nunca de Cary Crawford.

—¿Es posible lo que ibas a decirme?

—No. Tal vez lo que voy a decirte te haya ocurrido a ti alguna vez. Suponte que admiré una cosa. Una cosa que brillaba mucho. Por su brillo, por el irisado de ese brillo, por su forma o por cosas que imaginabas, pero que realmente no existían. Suponte asimismo que un día compruebas que aquel brillo sólo era aparente. Que la forma no era bonita, ni la cosa en modo alguno codiciable. Te pregunto yo, ¿seguirías deseándola?

—Si dejaba de gustarme, no, por supuesto.

—Pues eso me ocurrió a mí con Cary. Era un ídolo. Yo creí que un ídolo de brillantes, y resulta que en un segundo lo vi tal cual era, de barro y mal barro —echó a andar de nuevo—. ¿Concibes que yo pueda sentir alguna admiración por un ídolo de mal barro?

—Pero le has querido.

—¿Hasta qué extremo?

Y la pregunta era tan intencionada, que Ed, por un segundo, se consideró un monigote junto a ella.

—Eso te pregunto yo a ti —dijo con cólera, dominando su desconcierto.

—No sé por qué me parece que sabes más de esa cuestión que yo misma. ¿No es así, Ed?

A su pesar, Ed Blay se consideró pequeñísimo.

—¿Y si fuera así?

Pat ya sabía lo que quería saber.

Caminó delante de él a paso elástico.

Tranquila. Quizás airada, pero nadie al ver la serenidad de su rostro lo hubiera pensado así.

—Si fuese así, pensaría yo que el ídolo no es ni siquiera de barro, sino de pobre materia infecciosa.

—Sólo una palabra tuya... bastaría.

Pat se detuvo en seco.

Tenía el echarpe cruzado en el pecho, con las dos manos. En sus ojos se advertía no sólo una sonrisa burlona, sino, más bien, desdeñosa.

—¿Supones que la voy a pronunciar?

—Es... lo normal.

—Seré anormal, Ed. No pienso pronunciarla.

—Aguarda.

—¿Para qué?

—Tenemos que hablar.

—¿Así? ¿Dudando de mi honestidad? ¿Creyendo lo que te dijeron? No, Ed. En este instante me pareces tan muñeco como Cary. Ya ves cómo son las cosas.

La agarró por un brazo.

Su voz sonó enronquecida.

—Cary era un ambicioso. Sigue siendo un ambicioso. Sólo espera que fallezca tu abuela para hacer dinero del algodón, de las tierras, y largarse a Augusta.

—¿Y tú?

—¿Yo..., qué?

—Tú... ¿no deseas el dinero de la abuela? ¿No estás deseando largarte como él? ¿No eres tan pequeñito?

—Soy hombre. Y no me interesa el dinero. Pero me interesas tú.

—Yo, sin pecado. ¿No es eso?

—Por Dios vivo, Pat. Comprende. No soy un pelele. Me interesa una mujer y tengo derecho a escudriñar en su pasado.

Pat giró en redondo.

Caminaba aprisa, pero Ed la detuvo poniéndose delante de ella.

—Un momento, Pat. Un momento. Yo no te quiero para una aventura. Si fuese así..., trataría de conquistarte esta noche.

Pat levantó una ceja.

Nunca pareció tan personal como en aquel instante.

—¿Y crees que lo conseguirías, Ed?

—Puede que sí.

—Pues yo te digo que no. Déjame pasar. Mañana pensaba regresar a Atlanta. Lo haré al amanecer.

—Déjame ir contigo.

—¿Para lanzar tus reproches, tus insinuaciones?

—¿Es que no te das cuenta?

—¿Cuenta de que?

—De que te quiero.

Pat dio una pequeña vuelta parar salir del círculo en el cual él la tenía prisionera.

—No tengo apetito, Ed.

—Te digo que te quiero y te quedas así.

—No pensarás que dada mi madurez... vas a emocionarme.

—Eso quisiera al menos, pero ya veo que... eres aún más madura de lo que pensé.

Pat no se detuvo.

Ed intentó ir tras ella, pero lo pensó mejor y se quedó como clavado en medio de la calzada.

A la mañana siguiente, cuando ella metía las maletas en el auto, ayudada por un botones, calmoso, muy despacio, Ed se acercó.

—Buenos días, Pat.

La joven no lo esperaba.

Eran las seis de la mañana y hacía calor. Un suave calor de verano que ponía en las nubes un teñido gris azuloso.

—¿Puedes llevarme... hasta Atlanta? —preguntó Ed ante el mudo silencio femenino.

Ella sólo hizo un ademán. Extendió la mano y señaló el auto.

—¿Puedo... subir?

La joven se alzó de hombros. Dio la vuelta al auto y se colocó ante el volante.

Ed subió a su lado y se acomodó en el asiento.

En silencio, Patricia Moore puso el vehículo en marcha.

[illegible] se devo[illegible].

*

—¿Puedo llevarte... hasta [illegible]? —preguntó Ed ante el mutuo silencio y temeroso.

Ella no [illegible]. [illegible] y [illegible] el auto.

—¿[illegible], sabes?

16

Durante un largo trecho guardaron silencio.

Pat sabía ya, porque la soledad de la noche la ayudó a reflexionar, que amaba a aquel hombre.

Lo amaba como jamás amó a Cary.

¿Qué fue en realidad lo de Cary?

Algo que pudo llegar a cuajar si Cary Crawford fuese un hombre como Ed. Personal. Firme, fuerte, sin ambiciones. Pero... dada la personalidad de Cary Crawford, jamás pudo quedar mucho tiempo en el corazón sensible de Patricia Moore.

—Te duele que dude de ti.

Lo dijo cuando menos ella lo esperaba. Pat ni siquiera volvió el rostro. Tenía las mandíbulas un poco crujientes.

Apretadas casi con violencia para evitar poner de manifiesto su dolor.

—¿Es... eso?

—¿Importa algo?

—Podemos aclarar las cosas, Pat.

Lo miró entonces.

Un poco nada más.

Tenía unos ojazos castaños que con la luz del sol aún parecían más melados. Las pestañas negras, largas, un poco curvadas, daban a su mirada una esplendidez estremecedora.

—Explicándote yo todo lo que ocurrió con Cary.

—¿Por qué no?

Una mueca en los labios largos de Pat.

—Porque sería muy cómodo para ti, Ed. ¿No te parece?

Ed se inclinó hacia ella.

Olía a loción cara, a buen tabaco, a hombre. A una tremenda masculinidad.

—Lo necesito —dijo roncamente, casi en su oído—. ¿Me entiendes bien? Lo necesito. Siempre presumí, y sigo presumiendo, de llevar al altar una mujer pura.

—Lo siento por ti, Ed.

—¿Qué dices?

—Que lo siento por ti. No pienso sacarte de tus dudas. Si tanto te interesa..., ¿por qué no le preguntas a tu amigo Cary? ¿O a Vicky? Tal vez ella, con su simplicidad, sepa que yo he conocido a Cary y estuve a punto de casarme con él.

—Te equivocas —casi gritó Ed—. Nunca estuviste a punto de casarte con él, porque Cary nunca te consideró rica. Y Cary no podía casarse con una mujer pobre.

—Me da lástima.

—¿Qué dices?

—Que compadezco a Cary —miró a Ed con sarcasmo—. ¿Has desayunado? Yo no. Y como empiezan a abrir las cafeterías..., si no te importa voy a detenerme por aquí. Tengo apetito.

—Eres fría —gritó Ed casi perdiendo el control.

Pat lo miró de nuevo.

En sus ojos bailaban aquellas chispitas negras que tan pícaros los hacían.

—¿No eres tú muy apasionado, Ed?

—Te burlas de mí.

—Tomo a broma tus palabras. ¿No crees que es mejor? Yo soy una mujer de mundo, Ed —recalcó—. No me asustan las pequeñas cosas que para vosotros son como montañas. Yo todo lo disculpo y lo admiro. No tengo término medio, porque nunca detengo mi mente en cosas sin importancia.

Aparcó el auto ante un parador.

Eran las ocho de la mañana y el sol empezaba a calentar.

La gentil figura femenina vestía pantalones color crema de fina tela. Una chaqueta de algodón abierta en dos solapitas y un pañuelo en torno al cuello. Estaba preciosa con aquella ropa, que si bien masculina, en contraste acentuaba su femineidad.

Ed la agarró por el brazo antes de que ella entrase en la cafetería del parador.

—Pat.

Se volvió un poco.

—¿Qué te pasa, Ed?

—Estás coqueteando conmigo. Sería tan fácil disipar mis dudas.

—¿Yo? —y rescatando el brazo se perdió en el interior de la cafetería. Se sentó ante la barra en un alto taburete y apoyó los dos pies en la baranda baja de aquél—. Chocolate con churros —pidió, riendo—. Bien caliente el chocolate.

Se volvió un poco.

Tenía a Ed allí mismo, en pie, firme, casi rozándola.

—¿Qué tomas tú, Ed?

No contestó.

Se inclinó hacia ella de una forma rara. Buscó sus ojos, que esta vez no se le hurtaron.

—¿No te gustaría conocer mejor mi... apasionamiento?

Pat no sabía que iba a preguntarle aquello.

Tensó el busto y sin responder se volvió hacia el camarero que la servía.

Durante un rato pareció ignorar a Ed.

Tanto es así, que cuando él se inclinó de nuevo hacia ella, se estremeció sorprendida.

—Pat..., ¿te gustaría?

—Toma algo. Estos churros están...

—A veces... pareces una criatura.

—Pero otras... —dijo en voz baja, casi imprecisa— supones que no lo soy.

—¿Y lo eres?

Se volvió en la banqueta. Cuando fue a descender, él la asió por la cintura.

—Suelta —dijo sofocada—. Suelta...

—¿Puedo?

—Ed, estamos pareciendo dos tontos. Nos miran.

Ed caminó sin soltarla. Su brazo subió de la cintura a los hombros femeninos. Le gustaba llevarla así, cerca de su cuerpo, sentir su calor, su sofoco, su... ¿ingenuidad? O... ¿su madurez?

Pat, sin fuerza, con una suavidad muy femenina, muy recatada, logró soltarse y llegar sola a la calle.

—¿Conduzco yo?

Sin esperar respuesta, Ed se sentó ante el volante.

—Irás mejor descansada a mi lado, Pat.

Ésta sonrió.

Una tibia sonrisa un poco melancólica. Pero Ed, entretenido en disponer los frenos y el volante, no se percató de aquella suave melancolía.

Sintió, eso sí, el cuerpo de Pat sentarse a su lado. La miró un segundo antes de poner el auto en marcha.

—¿No hablamos de nosotros, Pat?

—No merece la pena.

—Lo crees tú.

—Es que debe ser así. Existe una desconfianza por tu parte.

—Que tú no quieres disipar.

—No —rotunda.

Ed puso el auto en marcha.

—Tendré que tomarte así, o...

—O no tomarme —dijo rotunda.

—Y tú...

Pat se alzó de hombros.

Miraba al frente.

Tenía algo raro en la mirada.

—Yo seguiré viajando.

—¿Sola?

—¿Acaso tú estás... muy acompañado?

—Es tu última palabra, ¿verdad, Pat? Consientes perderme, que yo te pierda, continuar por la vida con tus soledades, a deponer tu orgullo de mujer, hablando de algo que...

—No es orgullo lo que sella mis labios —dijo Pat indiferente—. Es asco hacia algo que ya pasó.

—¿Asco?

—¿No te arrepentiste nunca de haber estimado a alguien que al transcurrir del tiempo comprobaste que no lo merecía?

—Es posible, pero...

—He dormido mal —dijo Pat con acento cansado—. Si no te importa, dejaremos a un lado esta conversación. Tengo sueño. Dormiré un rato, ya que tú eres tan amable y conduces el auto.

—Quisiera seguir hablando. De mí, de ti, de esto sorprendente que de pronto nos une a ambos.

Pat no respondió.

—¿No tienes nada que decir?

—Respecto...

—A todo. A tus sentimientos hacia mí. A tu pasado con Cary. A... tantas cosas que una mujer puede decirle a un hombre en un caso así.

Pat abatió los párpados.

De repente sintió que el auto se detenía.

Los abrió de nuevo.

—¿Qué haces?

Lo tenía allí.

A dos pasos.

Mirándola cegador. Tenía hermosos los ojos Ed, los ojos, la boca, su forma de modular cada palabra.

Pensó en sí misma, en Cary, en sus días absurdos de París. En tantos hombres que encontró en su vida sin dejar huella alguna en su ser. Sólo Ed... era distinto. Quizá fuese más vulgar que los demás, pero para ella... era el hombre que buscó desde que murió su padre y empezó a tener sentido común.

—Pat...

Era grato estar allí. Y sentir el aliento de Ed en sus sienes. Intentó mirarlo, pero Ed estaba tan cerca de ella, que le dolieron los ojos y hubo de abatir los párpados.

Fue así que sintió la boca de Ed en la suya.

Sabía que debiera alejarlo. Decirle... decirle que estaba mal que la besase así.

Pero no pudo.

Bajo sus labios sólo susurró:

—Has... has... detenido el auto.

Ed bajó los brazos. Los dos, y la cerró por la cintura. Pat parecía una cosa frágil en su pecho, doblada, menguadita, tan femenina. La besó mucho.

17

—Dilo ahora.

—¿Decir?

—Eso que sientes.

Pat se agitó.

—Dilo. Por amor de Dios..., dilo.

—¿Que te amo?

—¿Me amas?

—¿Acaso crees que estás forzándome a besarte?

Ed se apartó un poco.

Quedó como tenso, con las dos manos agarrotadas en el volante.

—Pat, no te entiendo. Me quieres. Estás dispuesta a casarte conmigo..., y, sin embargo, no calmas esta agitación mía.

—Eso no, si te refieres a mi pasado con Cary.

—Consientes... que me muera de rabia antes que hablar.

—No te mueres de rabia, Ed —dijo riendo con tristeza—. Estás habituado a que todas las mujeres te adoren...

—Tú sólo me amas.

—Tal vez también te adore. Al fin y al cabo, soy mujer, y débil..., y tú tienes tus encantos masculinos, pero... no me humillaré hasta el extremo de explicarte lo que tú debes comprender, si me conoces bien.

—Santo Dios, Pat. Que soy humano.

—No pensarás que yo dejo de serlo.

—Estamos jugando a palabras sin sentido, sin ilación. Sólo pronunciamos frases que no conducen a nada, que no definen nuestra situación.

—Por mi parte, ya está definida.

—¿En qué sentido?

—En ése.

—Lo desconozco.

—Porque no quieres.

—¿Querer?

—Por favor, Ed, no sigamos pronunciando frases. No conducen a nada como tú dices, pero yo no voy a aclarar una cuestión que, repito, me humillaría.

—Pretendes que te tome así..., con todas las dudas adjuntas.

—O no me tomes.

Era rotundo su acento.

Ed apretó el volante casi hasta arrancarlo.

Ya no pronunció palabra en mucho tiempo.

Pat lo prefería así.

Hasta le pareció que se había dormido, porque cuando abrió los ojos el paisaje había cambiado y entraban en Atlanta.

—Espero —dijo Ed de modo raro— que te quedes entre nosotros una gran temporada. Espero, asimismo, que el tiempo nos conduzca por ese camino que ambos deseamos. Y espero que, poco a poco, los dos comprendamos que no podemos vivir el uno sin el otro.

Se equivocaba Ed.

Ella se iría un día cualquiera. Tal vez... a la mañana siguiente o aquella misma noche.

Cuando el auto se detuvo ante la escalinata principal, no había nadie por allí. Los criados tan sólo mirando distraídos el auto que llegaba. Uno de ellos acudió corriendo y se hizo cargo del equipaje de Pat.

Ésta entró en el vestíbulo e intentó atravesarlo.

Pero Ed se le puso al lado, susurrando:

—Tu abuela desea que... nos casemos.

—¿Sí? —y una sarcástica sonrisa entreabrió sus labios.

—Te burlas.

—Me emociona el deseo de la abuela Joan.

—Eres... fría.

Lo miró un segundo.

Algo brilló en los ojos color castaño.

Después...

—Eres absurdo. Nadie puede decir mejor que tú que no lo soy.

Y caminó delante de él, dejándolo perplejo.

Vicky apareció en el fondo del vestíbulo.

—Pat —exclamó con su volubilidad habitual—.

Pat querida. La abuela está preocupada. No sabía dónde ibas. ¿Has pintado mucho? —Pat no contestó—. ¿No? Claro. Una busca paisajes y no los encuentra apropiados. ¿No ocurre así con los artistas? Cary estaba preocupado por ti. Decía constantemente: «Esa muchacha sola por el mundo.» Claro que Cary se preocupa por todo. Cary es así. ¿No tomas nada? Hace mucho calor, ¿verdad? —miró a Ed—. ¿De dónde sales tú, Ed? Cary te estuvo buscando para jugar una partida. Nada. No aparecías. «Qué lata», dije yo. «Qué fastidio», dijo Cary...

Pat la dejó por inútil.

Vicky tenía rollo para rato.

Era tan simple, que después de hablar media hora seguida, quien la escuchaba caía en la cuenta de que no había dicho nada concreto.

—Pat...

Se inclinó hacia la anciana. La besó en la mejilla por dos veces.

Desde que falleció su padre no tomó cariños verdaderos. El de la abuela Joan lo era.

Por eso se sentía feliz a su lado.

—Estos días me habitué a verte en casa —decía la anciana emocionada—. Por eso te eché tanto de menos. ¿Volverás a marcharte?

—No lo sé.

—Pat...

—¿Sí?

—¿No has pensado en casarte?

—Pues..., no muy detenidamente.

—Daría tanto por que te quedaras aquí. Tú no sabes cuánto daría.

—Es casi imposible, abuela. Tendría que tener una atadura muy firme que me ligase a esto.

—¿Y no la tienes?

Le hurtó los ojos, que la abuela buscaba afanosamente.

—Creo que no.

—¿Ed?

—¿Por qué... él?

La anciana golpeó el suelo con el bastón.

—No sé. Yo pensé... Conozco a Ed. Casi como si fuera otro nieto. Siempre estuvo aquí, entre nosotros. Sentado a nuestra mesa, velando por los intereses de los Anderson. Ha sido un hombre que vivió lo suyo, pero ahora, de repente, desde que llegaste tú, aseguraría yo que no corre nada. Se pasa las noches en su pabellón. No corretea tanto por la campiña con las muchachas...

Pat miró al frente.

No quería hablar de Ed con la abuela.

Aquello ya estaba decidido. Sin duda alguna, Cary había dicho a Ed cosas horribles de los dos. Ed las creía...

No habría nada positivo entre los dos mientras Ed creyese las mentiras de Cary.

—Estoy cansada, abuela.

—No me contestas.

—¿Respecto...?

—A tu futuro, a Ed..., a todo lo tuyo.

—No lo sé yo.

—¿Descentrada, Pat?

—Tal vez desconcertada tan sólo.

Se puso en pie.

Besó de nuevo a la dama.

—Me retiro un rato. Buenas tardes, abuelita.

Joan Anderson la retuvo por los dedos.

—Pat..., no quisiera que te fueses. Soy vieja, y todo esto... es lo más querido para mí. Daría..., ¡qué sé yo lo que daría!, si pudiera conservarlo.

—¿Y por qué no?

—Tú... lo sabes.

No lo sabía.

La miró fijamente.

—¿A qué te refieres?

—Tu abuelo levantó este imperio con la mayor ilusión del mundo. Cary... no lo conservará. Y en cuanto a Vicky..., ya ves. Sólo piensa en divertirse. Lo que ocurra a la finca de su difunto abuelo la tiene sin cuidado. Tú... eres más sensata. Más tradicional.

—No me conoces, abuela.

—Oh, sí, sí. Te conozco y no me equivoco. Tú respetarías todo esto. Nunca vendas tu parte, Joan. Por favor, no. Si tú te opones, no habrá fuerza humana que pueda vender. Respeta esa última voluntad mía.

Pat sonrió.

No comprendía bien, pero, de todos modos, no costaba nada prometer aquello.

—Pat...

—Te lo prometo, abuela. Te aseguro que te lo prometo.

Y agitando la mano, se alejó en dirección al vestíbulo. Subió de dos en dos las escaleras y se tendió en la cama de su cuarto. Cerró los ojos. Estaba cansada, pero más que eso, desconcertada y sola. Tremendamente sola...

No comprendía [illegible] pero [illegible]
[illegible] echa para prometer aquello.

—P[illegible]

—Te lo prometo, abuela. Te aseguro que te lo prometo.

Y agitando [illegible] sin dirección al [illegible] [illegible] de [illegible] [illegible] ver [illegible] [illegible]. [illegible] [illegible] que [illegible] [illegible] sola. [illegible] [illegible].

[illegible]

18

Anochecía.

El calor se humedecía un poco con el rocío. Pat dejó su habitación después de cambiar los pantalones y el suéter por un vestido vaporoso, de un tono amarillo tenue.

Cruzó un chal por los hombros y decidió bajar un rato.

Seguro que Cary y Vicky se habían ido de fiesta.

Siempre estaban de fiesta.

Sin duda alguna, y aun en el supuesto de que se hubiese casado con Cary, no habría sido feliz a su lado.

Detestaba las fiestas, las reuniones sociales, las veladas hasta el amanecer.

Pasó un cepillo por el cabello, leonado éste, firme, brillante, le caía por la garganta.

Así bajó al vestíbulo. Casi al abordar éste, al dejar el último escalón, vio a Cary cruzar en dirección a ella.

—¿Podemos hablar?

No quería.

Le parecía imposible que un día le hubiese querido.

—¿Ahora? —preguntó levantando una ceja.

—Ahora, sí. Aquí mismo, en la salita.

La señalaba.

Se alzó de hombros.

Nada tenía que decirle a Cary ni nada esperaba de él. Le era tan indiferente como Vicky y cualquier criado de la finca de su abuela.

Aquél podía ser su mundo y su ambiente. Era precisamente lo que le agradaba. Aquella vida apacible aquella tranquilidad. Pero... tendría que irse.

—Pasa aquí —decía Cary empujando una puerta.

Pasó y fue directamente al ventanal abierto.

Lo cerró.

Dijera lo que dijera Cary, no deseaba que su conversación trascendiera.

Vio el pabellón de Ed iluminado. Su sombra moverse en aquel pequeño salón donde un día Ed trataba de hacerse el nudo de la corbata.

—Pat...

Se había olvidado de su presencia.

—Ah..., dime, Cary.

—Te voy a proponer algo.

—¿De qué se trata?

Cary se acercó a ella.

Era guapo, arrogante, rubio, con los ojos azules... Ella no tenía mucho sentido cuando se enamoró de él. Era absurdo, porque creía pensar como pensaba cuando lo conoció, y, sin embargo, a la sazón, le causaba risa su cariño por Cary Crawford.

—¿De qué se trata? —preguntó de nuevo ante el silencio de Cary.

—Huir juntos.

Pat, al pronto, no supo qué decir.

Después se echó a reír, en una ruidosa y juvenil carcajada.

—Pat —se sofocó Cary—. No puedo vivir sin ti.

—¿Sí? ¿Y es por eso que engañaste a Ed?

—¿Engañarlo?

—Le has dicho algo de mí en común contigo, ¿verdad, Cary? Eres tan mezquino. Te veo tan poca cosa. Me das risa, Cary, ya ves en qué quedó aquel cariño espiritual tan bonito.

—Yo te amo de la misma forma.

—Pero jamás, jamás —dijo con dureza— has tocado un hilo de mi ropa, y, no obstante, le dijiste a Ed que había sido tuya. Eso por lo menos, porque yo lo vi en la actitud de Ed.

—No puedo tolerar que te cases con él. No podría soportar esa idea.

—No temas —rió Pat con cierta mal oculta amargura—. No soy mujer que permita que nadie dude de su integridad moral. Si te has propuesto separarnos..., nos has separado.

—Sería muy fácil para ti desmentirme a mí —dijo Cary casi furioso.

—Por supuesto, pero... ¿Tan mal me has conocido? Si fuese la mujer que tú supones, vendría tras de ti cuando huiste cobardemente. Me quedé allí. Sólo después, cuando tuve noticias de tu boda con mi prima, quise conocer a tu mujer... Fue... decepcionante, Cary. ¿Ahora... me dejas pasar?

—Escucha, escucha..., no amo a Vicky.

—Cállate —gritó Pat sin poderse contener—. Así.... me pareces aún más mezquino. Vives de ella. Vives como un rey, y ni siquiera tuviste la delicadeza de amarla un poco.

Abrió la puerta.

Pero Cary se le puso delante.

—Te amo. No puedo vivir sin ti. Yo te juro... Me divorciaré de Vicky, me casaré contigo.

Pat lo retiró con un solo gesto. Fue tan frío y tan enérgico, que Cary, casi subconscientemente, se retiró a un lado, y Pat pasó sin volver la cabeza.

Se dirigió a la terraza.

Vicky andaba por allí buscando a su marido.

—¿Has visto a Cary, Pat? Tenemos que asistir a una fiesta esta noche... ¡Qué fastidio! No encuentro a Cary en ninguna parte. Y ambos deseamos asistir a esa fiesta. Promete ser muy divertida...

—Tienes a Cary en la salita azul.

—¿Sí? —y corrió hacia la puerta de la terraza—. Ese grandullón...

Desapareció.

Al rato tocaron para comer.

—Vicky y Cary se van a una fiesta —dijo la abuela, que ya esperaba en el comedor cuando ella entró—. Y Ed acaba de enviar aviso de que no vendrá a comer. Le duele la cabeza.

—Estaremos solas —rió Pat tranquilamente.

Pero pensó que después de cenar iría a ver a Ed. Lo tenía bien decidido.

Al día siguiente, al amanecer, antes de que nadie se levantara, se iría a su casa. Tardaría mucho en llegar, pero... no tenía prisa. Renunciaba a todo. A Ed, a aquella tranquilidad de la finca de Atlanta... Empezaría una nueva vida...

Pulsó el timbre.

Sintió sus pasos. Recios, seguros...

Se abrió la puerta.

—Pat...

—Hola, Ed.

—Pasa —dijo él quedamente—. Pasa. No fui a comer. Me duele...

—No te duele nada —atajó Pat con suavidad, pasando al interior del pabellón—. No has querido enfrentarte conmigo y con la abuela.

—Puede. ¿No te sientas?

—Sólo he venido a saludarte...

—¿Saludarme?

No le dijo que se iba al amanecer.

Se alzó de hombros.

—Como no has ido a comer —se disculpó—, he venido yo a saber si en efecto te dolía la cabeza.

Se dejó caer en la esquina de un sofá.

Ed permaneció de pie mirándola. Vestía un pantalón grisáceo, una camisa blanca y sobre ésta un suéter de lana, de manga larga y cuello en pico. Alto y moreno, resultaba de una masculinidad casi avasallante.

—No te decides a decir la verdad —reprochó él.

—¿Qué verdad?

—La que existió con Cary.

—Ah.

—¿No lo haces?

Ya lo tenía inclinado hacia ella. Ya estaba sentado a su lado. La arrinconaba en la esquina del sofá.

—¿Qué haces? —se sofocó—. No he venido a...

—No importa a lo que hayas venido. Estamos juntos y, a la vez..., nos separa un mundo entero de dudas y temores, Pat. ¿No te das cuenta?

Lo tenía tan cerca, que era imposible no verse en sus ojos.

—Una pregunta, Ed... Si confirmara lo que te dijo Cary..., ¿te casarías conmigo?

Ed se puso rápidamente en pie.

Casi temblaba.

—No —gritó—. No. Aunque me muera de rabia y ansiedad. ¡No! Toda la vida he deseado una mujer para mí solo y no podría soportar la idea de casarme con una muchacha que fue de otro.

—Eso fue... lo que te dijo Cary —murmuró Pat con ahogado acento.

Ed se volvió hacia ella.

—Desmiéntelo —gritó—. Desmiéntelo.

Y en su afán de que lo hiciera, la agarraba por los hombros, la sacudía, la acariciaba, parecía enloquecido.

—Desmiéntelo. Por el amor de Dios, desmiéntelo...

No.

Pat iba hacia donde él la llevaba en sus tremendas sacudidas, pero sus ojos, sus labios, permanecían impasibles.

—No lo desmientes porque fue cierto. ¿No es eso? Di, ¿no es eso?

Súbitamente ella se desprendió con fiereza.

—Pat...

—No..., así no.

—¿Así?

—Renuncio a ti, Ed —dijo serenándose—. Tendrías que tomarme así o dejarme ir.

—Aguarda...

—Ya no.

—Te amo.

—También yo a ti —gritó Pat—. Pero así..., no. Nunca.

Y se precipitó a la puerta.

No la retuvo. ¿Para qué?

Sabía que nunca podría casarse con ella llevando aquella duda.

Aún estuvo en la puerta un rato, hasta que la vio desdibujarse en la noche.

19

Recibió el recado al amanecer.

Salió corriendo, abrochándose la chaqueta. Si le llamaba Joan Anderson, era porque algo grave ocurría.

Llegó jadeante.

Miró a un lado y otro.

Cary y Vicky no estaban allí, y, en cambio, Joan se hallaba en el salón con su bastón de empuñadura de oro sujeto, apretadísimo en la débil mano.

—¿Qué ocurre, señora?

—Pat se ha ido.

El mundo pareció caérsele encima.

—¿Cuándo?

—No hace ni media hora. Yo la vi. No dormía. Me levanté a tomar una píldora. Me asomé a la ventana. Estaba metiendo las maletas en el auto. Antes de que pudiera abrir la ventana para llamarla, ella subía al auto y se iba. Mira. Dejó este papel. Léelo, Ed.

Ed fijó allí los ojos.

Letra personal. De ella. Rasgos acusados, firmes...

Querida abuelita: Te aseguro que fui feliz en esta casa. Muy feliz. En realidad, como nunca desde que falleció papá. Pero tengo que irme. Siento no poder hacer lo que tú deseas, abuelita... Adiós. Cuando pase mucho tiempo... volveré. Besos, muchos besos, abuelita.

PAT

—¿Qué hacemos, Ed?

—Voy a por... ella.

—No —exclamó enérgicamente la dama—. Ir por ella para hacerla sufrir, no.

Ed abrió mucho los ojos.

—¿Qué dice usted? ¿Y por que he de hacerla sufrir?

—Está bien claro. Algo ocurre entre los dos. Ayer, Pat no pensaba marcharse. Estuvo en tu pabellón anoche...

—Señora...

—Si vas a buscarla..., que no sea para hacerla sufrir.

Sintió en su ser una fuerza extraña.

Iría a buscarla. Para casarse con ella. Para tenerla de nuevo, para hacerla feliz...

Dio un paso atrás.

—Ed...

—Dígame —casi gritó—. Dígame.

—La amas.

—Usted lo sabe. No sé cómo se las arregla, pero lo adivina todo. Me ha llamado usted para que vaya en su busca..., y, sin embargo, me dice...

—Vete, Ed. Me parece que ahora todas tus dudas están disipadas.

—¿También sabía que existían?

—Tú lo acabas de decir. Yo lo sé... todo.

Ed no esperó más.

Cuando llegó a la terraza vio al criado que manejaba el auto de la dama.

—¿Qué hace usted aquí, Peter?

—Le espero, señor. La señora me dijo que saldría usted ahora en auto, y éste lo conduzco yo.

Ed aspiró hondo.

Miró hacia atrás y vio en la ventana, al otro lado del cristal, la carita rugosa sonriendo animosamente.

Chasqueó la lengua y de un salto subió al auto.

El rocío había mojado el pavimento.

Ed anudó la corbata que llevaba suelta. Abrochó la chaqueta correctamente y aspiró una y otra vez.

—Me voy a casar, Peter —dijo gritando—. Me caso con la señorita Pat. Dale alcance, por el amor de Dios.

Pat conducía serenamente.

Al menos en apariencia, serenamente. Los ojos se humedecían de vez en cuando. Tantos años buscando la felicidad, y al hallarla, huía de ella por no abrir los labios en su defensa.

Si los abriera, siempre tendría aquella duda en el amor de Ed. La de haberlo conseguido falsamente. Ed tendría que tomarla con sus dudas o dejarla ir. La había dejado ir... El destino se imponía de nuevo.

No había cometido ninguna imprudencia y, sin embargo, un auto la seguía a toda velocidad tocando el claxon.

«Será la policía —pensó—. Tendré que detenerme.»

Pero no se detenía.

Iba a velocidad moderada, no se explicaba por qué el auto que corría tras ella tocaba la bocina de aquel modo.

En una recta el auto la pasó.

Los dedos de Pat se estremecieron en el volante.

¿No eran Ed y Peter?

¿Qué les ocurría?

¿Por qué corrían así?

¿Por qué se detenían en aquel instante, casi delante de su coche?

Frenó.

Le entró un dolor en las sienes, como una loca palpitación.

—Pat —gritó Ed asomando por la ventanilla—. Pat...

Pat no tenía voz.

Quería preguntar un montón de cosas. «¿Le ocurre algo a la abuela? ¿Por qué estáis aquí?» Pero no articulaba palabra. Parecía que se le anudaban todas juntas en la garganta.

—Pat —decía Ed sofocado—. Déjame conducir. Peter llevará el auto al garaje... Déjame conducir el tuyo.

—¿La... abuela?

—¿Qué?

Ed ya estaba sentado ante el volante.

—¿Le ocurre algo a la abuela?

Ed la miró cegador.

—No, no —dijo roncamente—. A mí.

—A ti...

—Me caso contigo. Si luego tengo que matarte, después me mataré yo. Pero ahora... ahora... —Peter se iba en el otro coche. Ed conducía en sentido inverso a Peter—. Ahora... nos vamos a casar...

—Ed...

—Sí —gritó éste atrayéndola hacia sí—. Sí, sí. Ya no puedo más.

Vicky hablaba por los codos. Cary no decía nada.

—¿Se han casado? ¿Quién te lo dijo?

La abuela mostró triunfal un telegrama.

—Están en Nueva Jersey, en casa de Pat. Mira, mira. Dice que se han casado.

—Entonces —saltó Vicky feliz— ya podemos trasladarnos a Augusta, ¿verdad, Cary? Si Ed se ha casado con Pat, vendrán a vivir aquí.

Cary no decía nada.

La abuela los miraba a los dos de frente, con cierta tristeza.

—Podéis iros, sí —dijo mansamente—. Pat y Ed vendrán a vivir aquí. A vosotros os daremos la parte que os corresponde.

—¿De verdad, abuela?

—Y tan verdad. ¿No lo prefieres así, Cary?

Cary gruñó.

Giró en redondo y se fue.

Pero aquel mismo día, la abuela llamó al notario y le dijo que Cary y Vicky se iban a vivir a Augusta. Que les entregara una fuerte suma a cuenta de lo que les dejaría a su muerte.

Aquella noche, Cary estaba de muy mal humor, pero, como siempre, Vicky no se percató. La abuela sí, pero no hizo comentario alguno.

Al día siguiente ambos se fueron, y la abuela puso un telegrama a Nueva Jersey redactado en estos términos:

> ¿No podéis pasar aquí la luna de miel? Estoy sola. Cary y Vicky se han ido a vivir a Augusta... Os espero.

—Estate quieto. Quiero leer este telegrama.

Ed reía en su boca. Le decía montones de cosas.

—¿Has leído el telegrama?

—¿Y qué importa ahora? Acabamos de casarnos y sé lo que no has querido decirme.

—Ed.

—¿Por qué? ¿Por qué?

—¿No ha sido... mejor así?

—Eres una picarona, Pat, apasionada, bonita, tremendamente emocional...

—La abuela está sola, sola...

Ed se sofocaba junto a ella. Tanto tiempo deseando aquel instante, y lo tenía en su poder...

—También nosotros estamos solos, solos..., solos con esa verdad maravillosa que no me has querido decir.

La abuela, al día siguiente, decía a su doncella:

—Prepara la alcoba mejor de la casa. Hoy vendrán los señores Blay...

Llegaron.

Casi no vieron a la abuela. Estaban solos y eran egoístas... Y no se saciaban nunca de estar solos...

Pero la abuela estaba allí, cerca de ellos, y eso para ambos suponía una tremenda satisfacción...